D1248781

URGUM

LE TERRIBLE

Pour Bridget et
nos quatre Molly

Ouvrage publié originellement par les éditions
Scholastic Children's Books Ltd, Londres, sous le titre :
Urgum the Axe Man
Texte © Kjartan Poskitt, 2007
Illustrations © Philipp Reeve, 2007
© Bayard Éditions, 2009, pour la traduction
18 rue Barbès
92128 Montrouge Cedex
ISBN : 978-2-7470-2727-4
Dépôt légal : octobre 2009
Loi n° 49-956 du 16 juillet 1949 sur les publications destinées à la jeunesse.
Reproduction même partielle interdite

Achevè d'imprimer en Italie par Rotolito Lombarda

KJARTAN POSKITT

illustrations de
PHILIP REEVE

URGUM
LE TERRIBLE

Traduit de l'anglais (G.B.)
par Lætitia de Kerchove

bayard jeunesse

SOMMAIRE

PREMIÈRE PARTIE

LE RETOUR DES HÉROS

DEUXIÈME PARTIE

TOUT A BIEN CHANGÉ

TROISIÈME PARTIE

QUI A LAISSÉ DES TRACES DANS LE JARDIN

QUATRIÈME PARTIE

LA GUERRE DES TAXES

PREMIÈRE PARTIE

LE RETOUR
DES HÉROS

Le DÉSERT PERDU

Là-haut,
on vous surveille...

Un nuage de poussière s'effilochait autour du Cratère oublié, et plus loin, en direction du Rocher de Golglouta. La terre du Désert perdu grondait sous les outrages d'une horde de cavaliers lancés au galop, tandis que d'effroyables hurlements retentissaient à travers ce paysage de plaines arides. Effrayés, les lézards se réfugiaient dans l'ombre. Ici, un crotale se terrait sous le sable brûlant. Là, c'est un scorpion qui rampait à toute vitesse pour atteindre les racines d'un énorme cactus jaune. Même les polygloutons, que d'ordinaire rien ne pouvait détourner de leur pitance, traînèrent leurs corps boursouflés jusqu'au crâne d'un âne pour s'y cacher. Tétanisés et retenant leur souffle, ils priaient pour que les Barbares passent leur chemin.

En tête de ce funeste cortège, une silhouette massive jouait de la hache avec un mépris total pour les règles de sécurité les plus élémentaires : par quel miracle sa monture n'avait pas fini en chair à saucisse demeure, aujourd'hui encore, un véritable mystère.

Un soleil blanc, mat, dardait ses rayons sur l'homme à la hache, faisant scintiller ses dents acérées. Des muscles aussi noueux que les racines d'un arbre saillaient de ses bras. Sur le plastron de sa cuirasse, on pouvait lire les témoignages de tous les actes de barbarie auxquels il s'était livré depuis sa prime jeunesse. Ses faits d'armes étaient légendaires et il avait élevé le combat au corps à corps au rang d'une science effroyablement efficace. Malheur à quiconque devenait son ennemi, car il ne faisait pas dans la dentelle. Bref, ce type était une vraie brute. Et quel goinfre ! On ne comptait plus le nombre de ballades narrant les aventures extraordinaires de son insatiable estomac. Urgum, pour le nommer, était un redoutable Barbare, le pire sans doute, que le Désert perdu eût jamais connu.

" Yaaah ! " lança Urgum, en liesse.

Curieusement, malgré ses dons et une liste d'exploits hors du commun, Urgum savait rester simple et aimait cultiver les petits plaisirs de la vie. Ahhh… Galoper à bride abattue en plein désert, avec ses sept fils, en

poussant des cris aussi effrayants qu'inutiles... Quoi de plus excitant ? Tiens, d'ailleurs c'était justement ce qu'il était en train de faire. Urgum et ses fils s'en revenaient de la taverne de la Licorne. Et comme chaque fois au cours de ce type de grand rassemblement de Barbares, ils n'avaient pas manqué de se disputer, de fanfaronner, de se battre comme des chiffonniers, de faire la fête pour, au final, perdre toute notion du temps. En revanche, de licorne, ils n'en avaient pas vu. Et après ? Même s'ils rentraient bredouilles de leur petite virée, ils n'allaient pas se laisser gâcher leur plaisir pour si peu.

– Pas vrai les gars ? beugla Urgum. Yaaah… !

– Yaaaaah… ! répliquèrent les garçons.

La poitrine d'Urgum se gonfla d'orgueil. Ce qu'il s'apprêtait à faire était tout simplement génial. Personne, jusque-là, n'avait osé galoper le long de l'étroite corniche qui borde le Cratère oublié. Derrière lui, ses fils entonnaient leur chant martial favori :

ON a LES CHOCOTTES ?

NON !

ON EST DES CHOCHOTTES ?

NON !

PARCE QU'ON EST…

COMPLÈTEMENT CINGLÉS !

Urgum se pencha de côté et considéra le bord le plus escarpé de la piste rocailleuse. Elle s'évanouissait, là, à quelques centimètres seulement des sabots des chevaux. À travers les fumerolles, Urgum distinguait à peine l'éclat rouge sang du lac de lave qui s'étendait à moins de un kilomètre en contrebas. Le moindre faux pas de sa monture les enverrait tous deux vers une mort certaine.

ON A LES CHOCOTTES ?
NON !
ON EST DES CHOCHOTTES ?
NON !
PARCE QU'ON EST...
COMPLÈTEMENT CINGLÉS !

Urgum se fichait bien de mourir dans d'atroces souffrances. Après tout, c'était un vrai Barbare, non ? En affrontant une mort tragique sans éprouver la moindre peur, Urgum était convaincu qu'il ferait bonne impression Là-haut… Là-haut ? Bah, oui, chez les dieux, quoi ! Émus par tant de bravoure, ils lui accorderaient une récompense suprême dans l'au-delà : la possibilité de manger à leur table dans la Demeure céleste de Sirrhus.

En fait, rien ne pouvait être pire pour Urgum que de s'éteindre bien gentiment dans son sommeil, en souriant aux anges et – ce qui le terrorisait au point de l'empêcher de dormir – en suçant son pouce. Voilà pourquoi il ne ratait jamais une occasion de risquer sa vie. Ainsi passait-il son temps à échafauder des plans aussi diaboliques que ridicules.

Si Urgum n'avait pas peur de mourir, c'était aussi pour une raison très simple : ça ne lui était encore tout bonnement jamais arrivé. On meurt… Et puis, on s'en mord les doigts. Mais ça, notre Barbare ne le savait pas. Peu lui importait d'aller au-devant des pires dangers. De toute façon, il s'en sortait toujours indemne. Sur ce point d'ailleurs, Urgum avait une explication. Il était évident que les dieux avaient besoin de lui vivant. S'il lui arrivait malheur, personne d'autre ne serait assez brave pour perpétuer fièrement les codes ancestraux d'une barbarie sans peur et sans reproche. À moins qu'un de ses fils ne prenne la relève ? Pfff, la bonne blague !

En tout cas, cette chevauchée endiablée autour du cratère montrerait ce que les garçons avaient dans les tripes. Ils avaient beau faire preuve de courage, hurler et chanter, ils avaient quand même l'air terrifié. De son côté, Urgum affichait un large sourire en se demandant ce que l'on pouvait bien ressentir au juste, lorsque l'on avait peur. Ses rêveries l'entraînèrent vers cette lointaine période de sa vie où il n'était encore qu'un jeune Barbare… À cette époque, il jouait, comme tous ceux de son âge, à faire des nœuds avec des crotales ou à courir sur la corde raide au-dessus de la fosse au lion. Très banal, en somme ! Avant de se lancer, il veillait toutefois à marmonner une petite prière pour que Tangal et Tangor, les dieux jumeaux, le protègent et le sauvent. Au début, Urgum craignait de les déranger au mauvais moment. Qu'adviendrait-il s'ils étaient occupés ou de mauvais poil ? Mais peu à peu, il s'habitua à ce que le ciel lui vienne en aide chaque fois qu'il tentait le diable. Les dieux n'avaient-ils pas, après tout, toujours protégé et sauvé Urgut, le père d'Urgum ? À l'exception notable de cette fameuse fois où Urgut mourut dans d'atroces souffrances. Enfin bon, tout cela ne comptait pas vraiment pour Urgum : c'était la seule fois où les dieux avaient failli à leur tâche, et en dehors de ce triste épisode, ils avaient toujours aidé Urgut et aideraient Urgum de la même manière.

Un nuage chargé de soufre promenait son ombre menaçante à l'avant du cortège. Urgum entendait les prières désespérées de ses fils implorant le ciel de les épargner. Urgum, lui, n'avait que faire de ces calembredaines. Il était confiant : les dieux ne se risqueraient pas à le laisser tomber. Et quand bien même ! Si quelque chose de fatal lui arrivait, il aurait tôt fait de s'asseoir à la table divine pour se goinfrer de nourriture céleste. Miammiam !

Les Barbares fonçaient droit sur le nuage tout en hurlant :

ON a LES chocottes ?

NON !

ON est DES chochottes ?

NON !

Parce qu'on est...

COMPLÈTEMENT cinglés !

La fumée brûlait les yeux des cavaliers et de leurs montures. Et à travers leurs larmes, ils peinaient à voir l'étroit passage.

– Qu'est-ce qu'on fait maintenant Urgum ? s'écria Ruff, l'aîné des fils, quelque part au beau milieu du nuage de soufre. On n'y voit plus rien, là !

– On ACCÉLÈRE, pardi ! hurla-t-il.

" Yaaah ! "

Urgum s'amusait tellement qu'il était à mille lieues de se figurer que tout là-haut, dans la Demeure céleste de Sirrhus, son comportement commençait vraiment à en agacer plus d'un. Sirrhus était l'endroit où séjournaient les esprits des habitants du Désert perdu après leur mort. C'est là aussi que vivaient Tangor et Tangal, les dieux jumeaux.

Comme toute divinité, la Sainte Paire devait son existence à la seule foi des mortels. Et ils avaient de la chance : le Barbare croyait en eux dur comme fer ! Hélas ! il n'avait pas compris pourquoi les dieux se décarcassaient tant pour lui sauver la vie.

Alors qu'Urgum entraînait ses fils à foncer tête la première dans les vapeurs de soufre, Tangal secouait frénétiquement son frère pour le tirer de sa sieste.

– Regarde Urgum, dit-elle. Il fonce en aveugle tout autour du Cratère oublié.

– Et aloOOors ? bâilla son frère.

– Et alors ? Ce crétin est encore en train d'essayer de se tuer !

– Oh, non… Mais c'est une vraie manie ! Qu'est-ce qu'il lui prend ?

– À ton avis ? dit Tangal. Il lui prend qu'il veut s'asseoir à notre table et manger pour l'éternité.

– Mais on vient à peine de se débarrasser de son père ! s'indigna Tangor. Il lui a fallu quinze ans pour être rassasié, et on n'a toujours pas fini la plonge !

– Ah, je t'avais prévenu ! Tu n'aurais jamais dû laisser mourir Urgut en premier.

On est complètement cinglés !

– Non, mais tu es bête, ou quoi ? Je te rappelle qu'il faisait du catch avec les éléphants ! Il DEVAIT mourir. En plus, ça lui a donné une bonne leçon.

– Ah oui ? Eh bien, pour moi aussi, ç'en a été une, glapit-elle. Je ne veux plus jamais voir un seul de ces sauvages, aussi mort soit-il, s'inviter à notre table ! D'autant plus qu'Urgum est le dernier vrai Barbare.

– Quel est le rapport ?

– S'il meurt, nous serons privés du dernier croyant, expliqua-t-elle. Et si plus personne ne croit en nous, nous ne pourrons plus prétendre au titre de dieux. Nous ne serons plus que des domestiques, tout juste bons à lui servir la soupe jusqu'à la fin des temps. Et à notre propre table, en plus ! Nous serons la risée de Sirrhus.

Tangor cligna des yeux. « Quelle idée sinistre et déprimante », pensa-t-il.

– Alors ? interrogea Tangal. Bah, fais quelque chose !

Alors Tangor agit : il plongea sa main de géant dans le nuage de soufre, tendit le bout de son index et le pressa contre la paroi du cratère. Et là, il sentit le chatouillis des sabots d'un minuscule cheval sur sa peau. Les cavaliers venaient de se précipiter hors de la route et couraient désormais le long de cette main providentielle. Une fois de plus, Tangal avait épargné les Barbares. Lentement, il rapprocha son index de son visage et examina les silhouettes qui galopaient dans le brouillard.

« C'est VRAIMENT la dernière fois, Urgum », soupira Tangor, sans grande conviction.

– Faut qu'on trouve un truc pour qu'il se calme et mûrisse un peu, suggéra Tangal.

Tangor ramena son doigt au sol, à bonne distance de la gueule du Cratère et patienta jusqu'à ce que le dernier cheval regagne la terre ferme. Pendant ce temps-là, Tangal farfouillait dans une malle.

– Je l'ai ! s'exclama-t-elle.

Elle brandit un drôle d'instrument qui, de loin, ressemblait à un sablier. Il était composé d'une structure de cuivre verticale qui soutenait deux ampoules séparées par un étroit conduit. La partie basse était presque entièrement remplie d'un sable bleu très fin, tandis que celle du haut était vide. Mais il y avait un détail étrange qui rendait ce sablier différent des autres : c'était la présence d'une troisième ampoule située à l'arrière du conduit. Elle était entièrement opaque, si bien qu'il était impossible de voir si elle était vide ou pleine.

– Le commutateur temporel ? interrogea Tangor. En quoi cela va-t-il changer Urgum ?

– Cela nous fera gagner un peu de temps pour lui préparer une surprise quand il rentrera à la maison.

– Du genre embuscade ? suggéra Tangor. Avec une armée entière pour l'encercler et lui faire rendre les armes ?

– Rendre les armes ? reprit-elle. Urgum ? Notre Urgum ? Mais une armée ne suffirait pas à le neutraliser ! Il se battrait à en faire fondre sa hache, frapperait à en faire fondre ses poings, donnerait des coups à en faire fondre ses pieds… Bon, avec tout ça, il finirait bien par mourir. Sauf qu'il rappliquerait chez nous aussi sec pour s'asseoir à notre table, et manger jusqu'à ce que ses dents finissent elles aussi par fondre ! Oh non… Crois-moi, pour calmer Urgum, il faudrait quelque chose de beaucoup plus puissant qu'une armée.

– Ah oui, et quoi de plus puissant qu'une armée, alors ? demanda Tangor.

– Franchement ! se moqua Tangal. Les garçons, vous êtes tous les mêmes, vous n'avez pas beaucoup de suite dans les idées, hein ?

Elle retourna le sablier et le plaça sur la table. Le sable commença à s'écouler très lentement, tandis que l'ampoule du bas restait vide. Les grains disparaissaient dans l'ampoule noire. Ainsi les jours, les mois, et même les années des mortels demeuraient perdus à jamais.

Là-bas, au pays des bipèdes, Urgum sortait du nuage de soufre en se frottant les yeux ; son cheval hennit et toussa avant de s'immobiliser tout à fait.

– Waouh ! lança Urgum en secouant la tête comme pour y voir plus clair. N'était-ce pas tout simplement…

" WaOUH ? "

Le cheval regarda alentour pour voir à qui s'adressait Urgum. Ils étaient seuls. Il en déduisit que c'était à lui qu'il parlait. N'étant guère coutumier de ce genre d'échange, il n'était pas sûr de la manière dont il fallait répondre. Que dire ? Il y réfléchit à deux fois. « Waouh, c'est bien, ça ? Gros tas suant, va ! Essaye un peu pour voir de galoper dans un champ de gravats au milieu d'un brouillard acide à couper au couteau, et, comme si ça ne suffisait pas, en portant sur ton dos un crétin obèse. Je t'en donnerais du Waouh moi, espèce de vaurien, de pouilleux puant. » Le cheval était satisfait. Cela sonnait pas mal. C'était bien troussé, le ton était juste, et l'ensemble reflétait fidèlement le fond de sa pensée. « O.K. Urgum, se lança-t-il, ouvre bien grandes tes oreilles et prends ça dans les dents… »

Et c'est là que les autres cavaliers déboulèrent du nuage.

– Waouh ! hurla Urgum. Hé, les gars, *Waouh ?*

" WaOUH ? "

Ils applaudirent tous.

– Bon, voyons si on a le compte, fit Urgum. Robbin, Ruff, Ruinn, Rick et Rack, Raymond. Bravo ! On y va.

– Attends, risqua Ruinn qui voulait vérifier. Un, deux, trois, quatre, cinq, six.

– Super ! glissa Urgum. Allez, c'est bon, on y va maintenant.

– Mais, euh… On n'est pas censés être sept en tout ?

– Oh pfffffff ! soupira Urgum. Toi et ton obsession des chiffres, tu nous barbes…

Le nuage cracha un dernier cavalier.

– J'l'avais dit ! lâcha Ruinn.

– Oh ! Où avais-je la tête ? J'allais oublier, euh… tsss Machin… Ah, vous savez… Comment c'est déjà son nom, Shmurtz… bafouilla Urgum.

– Tu veux dire l'Autre ? tenta Ruinn.

– Voilà, c'est ça, conclut Urgum.
Bon, on file. Allez, les gars, en avant !

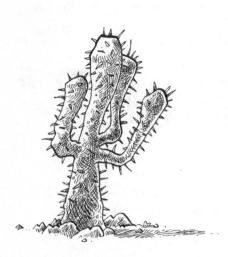

L'homo sac-piens

Urgum tira sur les rênes de sa monture. Il lança un

" Yaaaaargh ! "

puissant et joyeux, et repartit à toute allure. À l'arrière, tous ses fils suivaient en file indienne. Et voilà que cette équipée sauvage se mit à galoper en dessinant de larges cercles. Puis, d'autres, mais plus petits. Après quoi, ils formèrent un 8, suivi de quelques autres boucles. Pour finir, Urgum se mit au trot et continua à mener sa mauvaise troupe en rond… Des ronds de plus en plus petits, petits, petits, petits… Jusqu'à ce que – BOÏNG ! – tous parvinrent en un même point au même moment, si bien que tous leurs chevaux se retrouvèrent naseaux contre naseaux. Quelle pagaille !

Urgum promena un regard imperturbable autour de lui. Le nuage de soufre s'était complètement dissipé. Et pourtant, pas l'ombre d'un cratère en vue…

– Un problème, Urgum ? s'enquit Ruinn.

– Je viens d'avoir une idée géniale, répondit le père. Tiens, Ruff, que dirais-tu de nous guider un peu, pour changer ?

Ruff était l'aîné de la famille. Et comme pour rappeler l'importance de cette fonction à quiconque aurait l'impudence de l'oublier, il veillait à se vêtir exactement de la même manière que son père. Peu importait qu'il fût deux fois moins costaud que ce dernier. Ainsi paré, Ruff semblait plus sûr de lui… Nul doute, un jour, lui aussi aurait un destin hors du commun, marqué par la grandeur et la gloire. Ce qui, cependant, ne l'empêcha pas d'accepter la modeste mission qui consistait à guider ses frères et son père jusqu'à la maison. Mission qu'il prit très au sérieux. Malheureusement, il fut bien le seul.

– Père, vous pouvez compter sur moi, annonça Ruff, d'un ton solennel, en se redressant et en pointant sa mâchoire vers l'avant. Très bien, messieurs, préparez-vous à me suivre. À présent, le guide, c'est môa.

Les autres se rassemblèrent autour de lui, riant sous cape.

– Mais à vous l'honneur, môsieur le guide ! pouffa Ruinn, le cadet, mais aussi le plus maigre d'entre tous. Chez lui, tout semblait surdimensionné : il avait un long nez,

un grand front, de grandes oreilles et d'interminables doigts.

– Bien, fit Ruff. J'y vais. Mais rappelez-vous… Que personne ne passe devant moi : le guide, c'est môa ! prévint-il d'un ton souverain.

– Eh bien alors, vas-y, guide-nous ! braillèrent ses frères à l'unisson.

– Mais certainement, bafouilla Ruff, tout hésitant. Hum… Quel chemin prenons-nous, Père ?

– Ah, ah, ah ! scandèrent Rick et Rack, les frères siamois. Tu parles d'un guide. Quel paumé celui-là !

– Je dirais même qu'en plus d'être paumé, il est perdu, renchérit Ruinn.

Ruff se retourna et leur fit la plus affreuse et la plus moche de toutes ses grimaces. Ce qui, au final, lui donna un air encore plus bête qu'à l'accoutumée. Bien sûr, devant pareil spectacle, les autres se mirent à ricaner d'un rire mauvais et méprisant.

– Je n'y suis pour rien si nous sommes perdus ! beugla-t-il. C'est sa faute à lui !

Et tous braquèrent leur regard sur Urgum. Lequel fit mine de ne pas comprendre.

– Moi ? feignit-il de s'offusquer. Je ne suis pas perdu.

– Ah, ouf ! ironisa Ruinn, sondant consciencieusement l'intérieur de son long conduit auditif à l'aide de son interminable index. Eh bien, où es-tu alors ?

Urgum bondit de son destrier et désigna le sol, là, à ses pieds.

– Je suis ICI. Vu, les gars ?

Ils gémirent, consternés.

– Un Barbare sait toujours où il est ! s'enflamma Urgum.

– C'est bon, soupira Ruinn en extirpant son doigt de son oreille et en l'examinant, si bien que lorsqu'il prit de nouveau la parole, on ne savait plus s'il s'adressait à Urgum ou à son doigt.

– Tu t'égares… Nous savons tous où nous sommes ! Alors la maison, c'est par où ?

– Ah vouih, vu sous cet angle…, marmonna Urgum en se grattant le menton. Mais oui ! C'est ça : si nous savons tous où nous nous trouvons, c'est que nous ne sommes pas perdus. Et c'est Golglouta qui s'est perdu tout seul. Bah voilà ! Ce qu'il nous reste à faire, c'est de retrouver notre foyer.

– Bon, allez, j'en ai assez entendu comme ça ! s'impatienta Ruinn en se laissant glisser de son cheval. Golglouta ne doit pas être si loin que ça.

– Qui t'a demandé de descendre ? Je n'ai donné aucun ordre, se plaignit Ruff.

Attention
aux serpents-
à-gillette

Ruinn l'ignora et dirigea ses pas vers un cheval qu'apparemment aucun cavalier ne semblait monter, tandis que de part et d'autre de la selle pendaient plusieurs sacs pleins à craquer. Ruinn plongea sa main dans l'un d'eux et commença à en palper le contenu.

– J'emprunte sa cervelle à Raymond ! annonça-t-il.

– Wouaaaais ! s'exclamèrent les autres.

– **Nooooon** !

Cette voix dissonante, c'était celle de Raymond, un des fils d'Urgum. Elle provenait de l'intérieur d'un des sacs accrochés au pommeau. De toute évidence, il n'était pas d'accord. Seulement, avait-il vraiment son mot à dire ? Pauvre garçon ! Son existence avait pris un tour bien singulier depuis ce fameux jour où il avait fait une mauvaise chute, qui devait le précipiter au tréfonds d'une fosse grouillante de serpents-à-gillette. Le souvenir de leurs étreintes l'avait marqué à vif. Et pour cause : son corps avait été coupé en quarante-sept morceaux distincts !

Il aurait pu y rester, s'il n'avait eu la présence d'esprit, lorsqu'il était tombé, de prier à tue-tête. Les dieux, qui l'entendirent, hésitèrent un moment avant d'intervenir. Seulement voilà, Urgum aussi avait entendu cette supplique. Ce qui rendit la situation fort embarrassante. Les dieux se dirent que, s'ils ne tiraient pas Raymond de ce mauvais pas, Urgum, à coup sûr, douterait de leur existence. Et s'il doutait trop, peut-être en viendrait-il à ne plus croire en eux du tout. Et là, fini les dieux ! Sans plus personne pour croire en eux, ils finiraient par disparaître. Alors, ils décidèrent d'agir et de sauver Raymond. Voilà pourquoi, tant d'années après son accident, lui et ses quarante-sept morceaux étaient toujours de la partie. Il avait fait contre mauvaise fortune bon cœur et s'était habitué à sa vie de « baluchon ». Néanmoins, il attendait impatiemment le jour où il pourrait enfin se dresser à nouveau d'un seul morceau et, paf ! balancer un coup de poing sans que celui-ci ne tombe dans la poussière.

Dans son malheur, il avait quand même de la chance. Ses frères avaient fait preuve de bonté à son égard. Robbin, en particulier, qui veillait à ce que le nez de Raymond ne séjourne jamais dans le même sac que ses pieds. Il s'assurait aussi que ses yeux ne louchent pas. Seul son père manquait parfois de tact. Ainsi, lorsque tous décidèrent de partir à la Chasse à la Licorne, Raymond s'était porté volontaire pour rester à la maison. Mais le patriarche n'avait rien voulu entendre :

– Cesse de geindre comme un bébé, dit-il, en s'adressant au sac dans lequel étaient rangées les oreilles de son fils. Tout ce chichi pour trois égratignures… En plus, imagine si on attrape une licorne en chemin ! On pourra toujours te recoudre avec les crins de sa queue. C'est dingue ce que l'on peut faire avec les poils de ces bestioles !

Les garçons furent pris d'une crise de fou rire. Ha, les licornes… Parlons-en ! Tout le désert s'accordait sur ce

point : il n'y avait pas plus asocial et désagréable que ces animaux. Et quelle puanteur ! De la vermine avec une corne vissée dans le crâne prête à vous embrocher à tout moment… Voilà ce qu'étaient les licornes ! Quant à leur queue, la seule vertu qu'on aurait pu leur reconnaître, c'était de pendre à l'arrière de leur croupe. Car un seul pet de ces animaux, un seul, suffisait à éradiquer toute forme de vie à des kilomètres à la ronde. C'était d'ailleurs ce qui avait convaincu l'intendant du palais Laplaie de remettre une prime à quiconque capturait une licorne et réussissait l'exploit de lui loger un gros bouchon de liège dans l'arrière-train. Alors, le coup des points de suture en crin de licorne comme éventuelle solution au problème de Raymond… Les garçons avaient du mal à l'avaler ! Quant au principal concerné, lui aussi était sceptique.

Mais en même temps, au fond de lui, quelque chose le poussait à y croire.

Raymond accepta donc de partir. Les jours et les nuits passèrent, et vu le tour que prenait cette partie de chasse, il devenait clair qu'ils n'attraperaient aucune licorne. L'espoir céda rapidement à l'impatience de se retrouver à la maison, pour se prélasser. Aaah, sentir les différentes parties de son corps dispersées çà et là au grand air… C'était quand même autre chose que d'être bringuebalé au fond d'une sacoche en faisant un bruit de chair molle, ou de se faire tripatouiller les méninges par une main dégoûtante, n'est-ce pas ?

– Qu'est-ce qu'il fabrique ? demanda Ruff, tout en suivant Ruinn du regard.

– Il est très fort…, susurra Urgum, débordant d'admiration pour son fils alors que ce dernier extirpait le cerveau du sac et s'apprêtait à le déposer sur une pierre, bien en vue.

– Allez, reculez et allez vous cacher maintenant, ordonna le fils prodige.

La seule chose qui pouvait servir de cachette était un maigre cactus. Ils se précipitèrent tous derrière, emmenant leurs chevaux avec eux. Bientôt, deux minuscules taches sombres et irrégulières apparurent dans le ciel.

– Les voilà ! chuchota Ruinn. Je savais que ça allait marcher.

– Qu'est-ce que c'est ? se demanda Robbin, le plus gros de tous. On dirait deux points noirs.

– Chuuut ! firent les autres.

– Pourquoi je me tairais à cause de deux points noirs ? insista Robbin.

– Chhhhh… La paix à la fin, s'égosilla Urgum à voix basse.

– Désolé mais je ne vois toujours pas pourquoi on fait toutes ces chinoiseries pour deux points noirs…, grommela-t-il.

– Je vais te faire voir, moi ! promit Rick, qui venait de sortir une longue dague de son fourreau.

– P'paa ! gémit Robbin. Rick veut me poignarder !

– C'est ses oignons. Du moment qu'il le fait en silence…, trancha Urgum.

– Ehhh, mais c'est ma dague ! s'exclama Rack, le frère siamois de Rick, en tendant le bras vers l'arme. Je l'ai cherchée partout. Rends-la-moi !

– Mais tu me l'as prêtée, tu te souviens ? se justifia Rack en éloignant l'arme d'un mouvement brusque pour empêcher son frère de l'attraper.

– Bah, maintenant, j'en ai besoin, le coupa Rick.

– Mais je suis en train de m'en servir pour zigouiller Robbin et… Euh… Je n'ai pas terminé !

– Étrangle-le plutôt ! suggéra Rack.

– J'te rappelle qu'on a une main chacun. Si je l'étrangle, j'ai besoin de ton aide.

– Je veux bien te donner un coup de main si tu me rends la dague.

– P'paa, Rick et Rack veulent m'étrangler maintenant ! s'alarma Robbin.

– Taisez-vous ! gronda Ruff. Le guide, c'est môa et c'est un ordre.

– Ouuuh trop peur ! se moquèrent Rick et Rack.

– Père ! Personne n'écoute ce que je dis, geignit Ruff.

– Screugneugneu… Vous allez vous tenir tranquille, à la fin ? aboya Urgum, excédé. En rang derrière le cactus, bouclez-la, arrêtez de gesticuler et ouvrez grands vos yeux !

Ils cessèrent enfin de jouer des coudes et se concentrèrent sur les deux taches noires en forme d'étoile, qui décrivaient de larges cercles et s'approchaient de plus en plus.

– Vous voyez ? demanda Ruinn en affichant un large sourire. C'est Djinta et Percy, nos vautours de compagnie.

Ah ! je savais qu'ils seraient attirés par la cervelle de Raymond. Ils se rendront vite compte qu'il n'est pas mort, et ils n'y toucheront pas. Dès qu'ils feront demi-tour pour rentrer à la maison, tenez-vous prêts à les suivre !

– Oui, et, et... Je passerai devant ! bégaya Ruff. N'oubliez pas que le guide, c'est môa.

Djinta, la femelle, se posa à côté du cerveau. Elle le renifla. Humm... Il avait l'air trop frais. Percy la rejoignit, s'avança en se rengorgeant et jeta un coup d'œil lui aussi. Humm... Il avait l'air trop chaud. Mais bon, quand même, c'eût été une honte de le gâcher. Percy plongea son bec dans le cerveau et... BEUURK ! Les deux vautours regagnèrent le ciel à tire-d'aile, laissant dans leur sillage un tourbillon de plumes sales. Manger de la viande encore vivante... Et puis quoi encore ! C'était bon pour les aigles. Eux, ça ne les dérangeait peut-être pas de sentir la chair fraîche jouer au Yo-Yo entre le bec et l'estomac, mais les vautours, eux, étaient des oiseaux bien plus raffinés. Déçus, Percy et Djinta amorcèrent leur retour vers le monolithe de Golglouta, où leur perchoir les attendait. Aussitôt Urgum bondit sur son cheval pour se lancer à leur poursuite.

– Allez les garçons, du nerf ! lança-t-il aux autres, qui le suivaient déjà.

Une présence maléfique

Urgum et ses fils étaient toujours à la poursuite du couple de vautours. Ils foncèrent à travers des lits de rivières asséchées, passèrent dans des gorges encaissées, sautèrent par-dessus des gouffres béants, évitèrent des éboulements. La morsure des cactus et le feu des buissons avaient meurtri leur chair, tandis que le sable picotait leurs yeux. Les sabots de leurs montures martelaient si fort le gravier qu'il ricochait sur leurs dents. Quel bonheur ! Mais les meilleures choses ont une fin. Et bientôt, trop tôt, les vautours allèrent se percher sur le faîte d'un immense arbre calciné, où des squelettes se balançaient au bout des branches. Les cavaliers galopèrent jusqu'à lui et s'arrêtèrent.

– Ils nous ont amenés jusqu'à l'arbre des Sacrifices ! dit Urgum d'une voix haletante.

– Ce bon vieil arbre des Sacrifices ! s'enthousiasmèrent les fils d'Urgum.

– On sera bientôt à la maison ! Regardez, c'est là qu'on tourne pour prendre l'allée des Sourires.

– Youpiii !

Les chevaux s'engagèrent sur un chemin bordé de poteaux sur lesquels on avait cloué des crânes. C'était l'allée des Sourires. Cheminant au milieu de ces trophées, Urgum eut soudain la larme à l'œil. Chacun de ces crânes lui rappelait de doux souvenirs à sa mémoire. Il suffisait de lever les yeux pour apercevoir, juste au-dessus de l'entrée de Golglouta, des rochers hérissés de pointes en fer, maintenus en équilibre sur la corniche. Tandis que des restes de squelettes blanchis par le soleil craquaient sous les sabots des chevaux.

– Ça y est, les gars ! C'est notre bon vieux monolithe ! lâcha Urgum.

– Ah, ce bon vieux monolithe ! Cette bonne vieille allée des Sourires ! Cette bonne vieille allée des Sourires ! scandèrent les garçons.

– Et là, c'est la fameuse vieille fosse où l'on a noyé votre oncle Serpus dans le goudron ! cria Urgum.

– Ah ! Cette fameuse vieille fosse ! reprirent ses fils en cœur.

– Et tenez, là ! C'est ce bon vieux parterre de fleurs ! hurla Urgum, tout excité.

– Ce bon vieux... PARTERRE DE FLEURS ? Urgum tira d'un coup sec sur les rênes et sa monture s'arrêta brutalement.

– Oh ! oh !

OOOOOH...

Quant aux fils d'Urgum…

CHBOING

PFUiiiiiiiiiii...

CHKLONK...

Ils n'eurent pas le temps de tirer sur leurs rênes. Ils foncèrent tous embrasser l'arrière-train du cheval d'Urgum. Sous le choc, projeté hors de sa selle, leur père fit un vol plané au-dessus de la tête de son propre cheval pour… Aïe… atterrir à plat ventre dans un gros craquement sourd.

Il releva la tête en râlant. Et c'est là qu'il tomba nez à nez avec une petite pensée des sables.

– Qu'est-ce que tu fais là, toi ? demanda-t-il à la fleur d'un ton réprobateur. Ce monolithe est à nous. Ce sont nos terres. Tu es dans une propriété privée, ici.

– Il parle à une petite fleur, chuchota Ruinn aux autres qui gloussaient.

– Quoi ? demanda Raymond depuis le fond d'un sac.

– Urgum parle à une fleur ! insista Ruinn en ricanant.

– Mon Dieu ! C'est effrayant. Pour une fois, je suis bien content d'avoir les yeux dans les poches ! affirma Raymond.

Urgum décolla le nez du dessus de la fleur et se releva.

– Tenez-vous sur vos gardes, mes garçons, dit-il. Quelque chose s'est passé ici pendant notre absence. Je sens une force maléfique autour de nous. Remettez-vous en selle ! Et préparez-vous au pire…

En un éclair, tout ce que la troupe comptait de haches, d'épées, de lances et de dagues se dressa. Au moment de dépasser le parterre de fleurs, le bataillon serra les rangs. On aurait dit un porc-épic géant à vingt-huit pattes.

« Mais regardez-moi ces crétins, songea la petite pensée des sables. Et ils parlent de présence maléfique… »

La sentinelle
de Golglouta

C'est avec force précautions que les huit cavaliers longèrent le parterre de fleurs pour rejoindre le chemin en contrebas et s'engager dans le dernier virage qui menait aux portes du monolithe de Golglouta. Une silhouette solitaire se dressait devant l'entrée.

– C'est Olk ! s'exclama Urgum. Ce bon vieux Olk. Posté exactement là où nous l'avons quitté !

– Pfiouh ! soufflèrent les fils d'Urgum, soulagés.

– Salut Olk ! lança Urgum. C'est nous, on est de retour.

Même noyé dans l'ombre que projetait le monolithe, Olk, la sentinelle de Golglouta, avait l'air d'un monstre. Il portait une cotte de mailles rouillée et un kilt élimé, qui, à eux seuls, avaient les dimensions de deux draps de lit. Malgré leurs proportions impressionnantes, ses habits ne parvenaient qu'à lui couvrir le haut du poitrail et la partie basse du corps, dévoilant à mi-taille une large bande de chair bien grasse. Sa peau burinée semblait aussi accidentée que le paysage montagneux qui l'entourait. Les lourds bracelets de fer qui enserraient ses bras peinaient à contenir ses puissants biceps. Il allait nu-pieds. Mais qu'avait-il donc au bout des orteils ? Une collection de becs d'autruches ? On aurait pu le croire, mais non. Il s'agissait juste d'une rangée d'ongles secs et fendillés.

De plus, jadis, le colosse avait reçu un coup de hache sur le sommet du crâne et une longue cicatrice courait en travers de son cuir chevelu, divisant ses cheveux emmêlés en deux touffes indomptables. Ses sourcils de démon surplombaient des yeux perdus au fin fond de leurs orbites, ce qui devait donner à Olk l'impression de contempler le monde depuis une grotte. Mais tout ceci n'était rien finalement. Plus terrifiant qu'Olk lui-même était l'effet que produisait son arme. C'était sans aucun doute la lame la plus longue et la plus crasseuse de toute la province qu'il portait là, avec une désinvolture affichée, le tranchant reposant en équilibre sur son épaule. La rumeur disait qu'un jour, elle avait coupé la tête d'un éléphant d'un seul coup. Même seule, posée dans un coin, l'épée d'Olk forçait le respect. Alors, dans les mains de son maître… Elle n'imposait rien moins qu'une soumission aveugle.

Les chevaux ralentirent, puis s'arrêtèrent devant la silhouette massive.

– On est de retour, Olk ! lança Urgum tout fier. C'est nous !

Des mouches vrombissaient frénétiquement autour de traces de sang caillé qui souillaient la lame. Mais l'imposant visage de la sentinelle demeurait impassible.

– Elle est là ? demanda Urgum d'un ton légèrement plus précautionneux.

Rassemblés derrière lui, ses fils retenaient tous leur souffle. Certes, les bagarres, les disputes, les joutes verbales qui avaient pimenté leur virée avaient été éprouvantes. Mais, c'était à ce moment précis que commençait la partie la plus effrayante de leur aventure. Une question la résumait : De quelle façon allaient-ils bien pouvoir être accueillis maintenant qu'ils étaient de retour ?

Le « Elle », auquel Urgum faisait référence, n'était autre que Divina, son épouse. Pour des raisons qui échappaient totalement à Urgum, Divina n'était pas très emballée par les petites escapades à la Taverne de la Licorne. Se disputer, fanfaronner, se battre comme un chiffonnier, faire la fête pour, au final, perdre toute notion du temps, ne l'intéressait pas. Dommage, vraiment, car Urgum aimait sa femme et aurait été ravi qu'elle se joignît à eux. Certes, il doutait de ses dons pour la bagarre. Mais pour se disputer et fanfaronner… on pouvait compter sur elle. Nul doute qu'elle avait toutes les qualités pour participer à ce type de sortie. D'ailleurs, il y avait une autre qualité de Divina qui désarmait totalement Urgum. Lui, Urgum-le-Terrible, champion incontesté des redoutables épreuves de lutte armée dans la catégorie « double hache » et de « Un-contre-trois » dans la catégorie « mortel colin-maillard », devenait complètement inoffensif, voire pitoyable, lorsqu'il se frottait au pouvoir du sourcil gauche de Divina. Il suffisait donc à Divina de foudroyer Urgum du regard un court instant, puis de hausser ce fatal sourcil en prenant un air narquois, pour que les genoux du Barbare se mettent à flageoler et ses lèvres à trembler. Il commençait alors à bégayer des excuses sur un ton embarrassé, terrassé par le sentiment d'être le dernier des bons à rien.

Divina n'essayait pas d'empêcher Urgum de se rendre à ces fameuses parties de chasse. Autant empêcher le tonnerre de gronder ! Seulement, quand il rentrait, le Barbare ne savait jamais trop comment il allait être accueilli. Un grand sourire rempli de joie, quelques regards pleins d'admiration posés sur de toutes nouvelles cicatrices, un gentil « Tu as passé une bonne journée, mon chéri ? »… Oh, c'eût été si charmant… Mais bien sûr, cela n'arrivait jamais. Le problème, avec Divina, était que s'amuser à gober des boulets de canon ou à se glisser des cobras sous la tunique n'avait aucun sens pour elle. Pour Urgum, il s'agissait là d'actes de bravoure ; elle n'y trouvait que matière à soupirer : « Quel gamin cet Urgum, que ne va-t-il pas inventer pour se rendre intéressant ! »

Même quand il s'absentait pour un court voyage, il savait qu'à son retour il devrait affronter ce regard réprobateur. Curieusement, plus Divina fronçait le sourcil, moins il y prêtait attention. D'ailleurs, c'était plutôt comique un haussement de sourcil exagéré. Cela voulait dire quelque chose du genre : « Ah, ces hommes, tous les mêmes ! » En revanche, lorsque l'arcade tremblait légèrement, là, il était dans la panade. Urgum détestait le pouvoir qu'exerçait sur lui cette fine touffe de poils. Voilà pourquoi il se débrouillait toujours pour retarder le moment du retour vers la maison, allant parfois jusqu'à passer la nuit dehors. Puis une ou deux, voire davantage. Et plus il remettait son retour au lendemain, plus il avait de chance d'être accueilli par une Divina au sourcil gauche à peine levé.

Urgum fit comme si Olk n'existait pas et jeta un coup d'œil à l'allée qui menait à l'entrée de la citadelle de roc. On distinguait l'immense bassin pierreux, dont le fond avait été tapissé de sable. Au centre de celui-ci, à l'ombre d'un arbre, un couple d'autruches domestiquées dépiautait paisiblement la dépouille d'un porcelet. La façade du monolithe était criblée de sombres béances, chacune d'elles signalait l'entrée d'une grotte. Celle d'Urgum donnait sur l'entrée du monolithe. Tout semblait désert. Le Barbare espérait apercevoir quelques signes de vie. Mais tout ce qu'il voyait n'était qu'un grand vide froid, hostile et sans mouvement.

– Ça va lui faire plaisir de nous voir, fit remarquer Urgum à un Olk sceptique.   Même si je suppose qu'elle s'est un peu inquiétée, parce que, pour être franc, on rentre un peu plus tard que prévu… Mais, bon, au moins, on est là maintenant. Tous ensemble, et on forme à nouveau une grande famille, pas vrai, Olk ?

Pas de réaction.

– Regarde ce que j'ai pour elle. Un joli petit sac de perles et de rubis ! Je l'ai gagné à un tournoi de Qui-peut-tenir-le-plus-longtemps-la-langue-au-dessus-de-la-flamme-d'une-bougie. Qu'est-ce que tu en penses, Olk ? Dès qu'elle le verra, c'est sûr, elle se jettera dessus, hein ? Bon, bah ! c'était sympa de te revoir, Olk. Mais si je continue à bavarder comme ça toute la journée, on va finir par s'attirer des bricoles. Allez, on rentre les gars…

Olk affichait un air grave. Il cligna d'une paupière et un grondement roula depuis le fin fond de sa gorge jusqu'à sa bouche. Ses lèvres s'entrouvrirent pour lâcher ce qui ressemblait à un mot :

" MOT DE PASSE ! "

– Voyons Olk, c'est moi, dit Urgum.

Puis, se tournant vers ses fils :

– Ce bon vieux Olk. Sacré blagueur, hein les gars ?

Un rire hésitant glissa sur leurs lèvres. L'idée qu'Olk puisse blaguer leur faisait plutôt peur. Ce n'était pas son

genre. En revanche, il était bien capable de les étêter d'un seul coup d'épée.

– Mot de passe, gronda Olk.

– Écoute, Olk, je vis ici, tu te souviens ? Je n'ai donc pas besoin de te donner le mot de passe, expliqua Urgum. Et puis, comme toi et moi nous sommes de bons copains, je vais te dire un petit secret. Ça va te faire rire. En vrai, le mot de passe… je l'ai oublié.

Cela ne fit pas du tout rigoler le géant. Au contraire. La lame qu'il tenait toujours appuyée contre son épaule sursauta légèrement, et cela suffit à affoler les mouches qui s'éloignèrent dans un accès de panique. Tous les chevaux reculèrent.

– Allez, allez les gars ! tonna Urgum qui n'osait détourner son regard d'Olk. J'ai vraiment besoin de votre aide, là. C'est quoi le mot de passe, déjà ?

Urgum eut droit à un vague grommellement, lequel trahissait l'ignorance des garçons en la matière.

– Bon ça va, ça va. On n'a qu'à demander à Raymond, s'impatienta Ruinn. Il saura, lui !

Il tâta les sacs pour trouver celui qui contenait les oreilles, et se saisit de l'une d'elles :

– Dis, Raymond. Tu te souviens du mot de passe, toi ?

– Ce ne serait pas « Tout-sang » ? suggéra-t-il depuis un autre sac.

– Mais oui, bien sûr ! s'esclaffa Urgum. Voilà, c'est ça. C'est bon Olk, on l'a retrouvé, le mot de passe. C'est

« Tout-sang ». Allez les gars, tous en chœur !

– Tout-sang ! s'époumonèrent-ils triomphalement.

– Tu vois qu'on le connaissait, en fait, fanfaronna Urgum. On peut même te le chanter si tu veux. Hein, les gars, tous-en-sem-bleu, tous-en-sem-bleu : Tout-sang ! À vous :

– Tout-sang, Tout-sang, Tout-sang !

– FAUX !

L'imposante lame décolla de l'épaule d'Olk pour s'envoler dans les airs. Elle s'apprêta à décrire un ample arc de cercle, qui passait pile à hauteur des têtes des cavaliers. Les chevaux reculèrent d'un pas.

Pendant ce temps, Ruinn tenait toujours l'oreille de Raymond.

—Tu t'es trompé de mot de passe !

– Même pas vrai ! affirma la voix de Raymond du fond du sac.

– Si, tu t'es trompé ! chuchota-t-il dans son oreille. Et à cause de toi, on va finir découpés en rondelles !

– La belle affaire ! s'énerva Raymond. Bah, bienvenue au club !

Urgum commençait à se faire du souci. D'abord, le cratère avait disparu, ensuite il y avait ce parterre de fleurs, et maintenant il n'avait plus le bon mot de passe… Plus inquiétant encore, son cheval : cette vieille carne semblait l'entraîner droit sur la lame de la sentinelle. Et ses fils qui gardaient le regard braqué sur lui ! S'il battait en retraite là, tout de suite, il mourrait de déshonneur. Et pourtant, s'il restait planté là, il mourrait aussi, mais disséqué. En bon Barbare qu'il était, il avait une devise : « Puisqu'il faut mourir, allons-y ! »

– Arrière, les garçons, ordonna-t-il alors. Restez en dehors de tout ça. Je dois affronter seul cette épreuve.

Les garçons n'eurent pas besoin qu'on le leur dise deux fois. Ils ne prirent même pas le temps de faire demi-tour. Ils galopèrent en marche arrière jusqu'à se trouver hors d'atteinte.

– Je n'arrive pas à croire que notre père puisse accepter de se battre contre Olk ! Je suis si fier de l'avoir connu, dit Ruff, d'un ton larmoyant.

– Pareil pour nous. Il était comme un père, poursuivirent les autres.

– Trêve de sensiblerie, les interrompit Ruinn. Il ne souhaiterait pas que l'on s'apitoie sur lui comme ça. En plus, je vous signale que nous perdons de vue l'essentiel : à qui reviendront ses affaires lorsqu'il sera mort ?

– Sa hache, sa hache, je veux sa hache ! s'excita Ruff.

– D'accord, concéda Ruinn. Mais seulement si sa dague de diamant est à moi !

– Je prends les bottes ! affirma Rack.

– Non, à moi, elles m'iront mieux ! décréta Rick.

– Mais moi, je cours plus vite que toi ! rétorqua son frère siamois.

– Stoooooooooooooop ! cria Robbin. Vous vous rendez

compte que notre père est sur le point de mourir dans d'atroces souffrances ? Vous pensez que c'est le moment de se disputer à propos de l'héritage d'Olk ?

Les autres se regardèrent, ébahis, puis haussèrent les épaules.

– Bah… Bien sûr que oui ! lui répondirent-ils.

Ce faisant, sur le sentier qui menait à l'entrée de Golglouta, Urgum rassemblait ses forces. Dieu merci, ses fils n'étaient pas là pour voir ce qui allait se passer. Toutes les haches, les épées ou les gourdins du monde ne pouvaient rien contre la puissance d'Olk. Urgum le savait très bien. Et il savait aussi qu'après ce qu'il s'apprêtait à faire, il ne pourrait plus jamais se regarder en face. Mais tant pis, il n'avait pas le choix.

Il se laissa dégringoler de sa monture, attrapa le petit sac contenant perles et rubis et commença à se racler la gorge pour s'éclaircir la voix. Il leva la tête, puis cria en direction de l'entrée de sa caverne, pile au-dessus d'Olk :

– Chériiiiiie ! C'est moi !

Olk fut comme pris de nausée. Un borborygme s'échappa des profondeurs de sa gorge. Sa lame trembla légèrement. Urgum jeta un rapide coup d'œil autour de lui, pour s'assurer que ses fils se trouvaient assez loin pour ne pas le voir. Il ravala sa salive et appela de nouveau :

– Hé, mon petit chou adoré, c'est ton petit Gugum !

" Petit Gugum... Petit Gugum... Petit Gugum... "

Une ombre pourpre voila le visage du Barbare lorsqu'il entendit l'écho que les parois du monolithe renvoyaient de sa voix.

Quant à Olk, il virait au gris pâle. Les larmes lui montaient aux yeux tandis que des haut-le-cœur suspects soulevaient sa poitrine. Pauvre Olk, quelle souffrance. Urgum se détestait de devoir faire ce qu'il faisait, mais ce débordement d'affection était le seul moyen de terrasser le géant. Du bout des doigts, il agita donc la petite bourse contenant la précieuse offrande.

« Gu-gum a un petit cadeau pour son p'tit su-sucre d'orge ! Qui est-ce qui va venir voir ce que c'est ? Ouhhh, mais c'est qu'elles lui ont manqué à son gros nounours blanc-comme-neige, ses jolies petites lèvres au goût de mié-miel adoré… »

" … Lèvres au goût de mié-miel adoré… goût de mié-miel adoré… mié-miel adoré… "

Soudain, une voix aigrelette tinta à l'intérieur de la grotte :

– Et les lèvres au goût de miel se sont languies de leur gros nounours Gugum !

Ce fut le coup de grâce pour Olk : il vacilla, et rendit son déjeuner…

Et les armes par la même occasion ! La lame tomba à terre dans un épouvantable fracas qui parvint jusqu'aux oreilles des fils ; lesquels rappliquèrent aussitôt. Le spectacle qu'ils découvrirent alors les laissa pantois.

– Un bon coup de poing dans le ventre... Et voilà le travail ! mentit Urgum, en massant les articulations de ses doigts. Suffit juste de frapper au bon endroit.

Et avant qu'il n'en dise davantage, la silhouette de son épouse se dessina dans l'entrée du monolithe. Il prit une profonde inspiration : cette soudaine apparition annonçait d'autres ennuis qu'il fallait se préparer à affronter. Mais avant, l'espace de quelques instants, Urgum prit le temps de contempler cette femme qu'il se félicita d'avoir épousée. Elle était tout simplement exceptionnelle.

Poigne de fer et Main-douce, premier round

Contrairement à Urgum, Divina était cultivée et issue d'une famille noble. Elle appartenait à ce milieu où les gens ont les mains douces et blanches, lisent, écrivent et se passionnent pour l'histoire. Dans sa catégorie, Gastan, le père de Divina, était un modèle du genre. Et lorsqu'il le rencontra pour la première fois, Urgum se dit que les Mains-douces étaient des gens assommants, des empotés qui ne savaient rien faire de leurs dix doigts. Ah ça… Quand il s'agissait de juger les autres, de discourir sur le mode de vie de ces pauvres ignorants qui ne faisaient pas partie de leur monde, on pouvait compter sur eux ! Bien sûr, comme Urgum était un Barbare, il ne faisait pas partie de leur monde.

Le jour où ils s'étaient rencontrés avait plutôt bien commencé. Gastan était le contrôleur en chef de la bibliothèque du palais Laplaie et, pour faire plaisir à sa fille, il avait décidé de voir les scribes copistes se faire flageller. C'était, en effet, le châtiment qu'on leur réservait lorsqu'ils faisaient des fautes de ponctuation. Divina et Gastan cheminaient sous le soleil à son zénith, calés dans un sofa à porteurs que soutenait une escorte de six solides esclaves. Quand, soudain, ils aperçurent une silhouette au loin. C'était Urgum. Planté au milieu de la piste, il se bagarrait avec son cheval.

– Celui-là ne me dit rien qui vaille, grommela Gastan. Esclaves… En garde ! S'il fait preuve d'insolence, tenez-vous prêts à mourir pour l'honneur de vos maîtres.

Lâchant un soupir résigné, les esclaves extirpèrent leurs épées de leurs fourreaux, tout en continuant à soutenir le sofa et à marcher en direction d'Urgum.

– Mais qu'est-ce que c'est que c'est que ce bin's ? demanda le Barbare en les voyant arriver. Qu'est-ce qui vous prend de brandir vos petites épées comme ça ?

– Simple précaution, marmonna le père de Divina en enduisant ses lèvres de baume hydratant du bout de l'auriculaire. Dieu sait ce qu'il peut arriver avec les gens de votre espèce.

– Les gens *de mon espèce*, hein ? répéta Urgum d'une voix calme et posée. Je vais vous dire ce qu'il peut arriver avec les gens *de mon espèce* : premièrement, vous me

parlez sur un autre ton. Comme ça, chacun rentre chez soi et tout le monde est content. Deuxièmement, n'essayez pas de m'impressionner en jouant les gros durs, l'ami. Sinon, je vais devoir vous apprendre les bonnes manières.

– Je vous conseille de ne pas faire l'idiot, glapit Gastan. Vous ne semblez pas saisir : j'ai six hommes armés à mes ordres.

– Et alors ? reprit Urgum en regardant les esclaves d'un air ébahi. Qu'est-ce que vous voulez dire, au juste ?

– Que vous ne faites pas le poids : vous êtes seul et ils sont six ! répondit Gastan avec arrogance.

– Naaan, arrêtez de m'embrouiller, glissa Urgum en tendant le bras vers une des fontes attachées à sa selle. Six d'un côté, un de l'autre. Tout ça, c'est des chiffres, non ? C'est pas mon style, à moi, les chiffres. C'est vrai, hein, ça ne se mange pas, ça ne se bat pas… Je ne vois vraiment pas à quoi ça sert. Par contre, ÇA…

Urgum sortit une hache d'une de ses fontes, puis donna une claque sur la croupe de son cheval pour le sortir du chemin. Pour une fois, la bête consentit à obéir, et avança d'un pas tranquille sans demander son reste, car elle savait qu'il allait y avoir du grabuge.

– … C'est mon style !

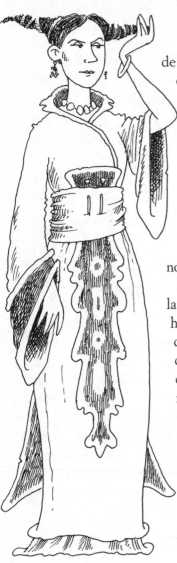

Les esclaves se dépêchèrent de poser le sofa à terre et se mirent en formation pour affronter Urgum.

– Père, glissa Divina calmement. Vous tenez à vous débarrasser de bons et loyaux esclaves ? Il va les massacrer tous, les uns après les autres, si vous ne leur donnez pas l'ordre de rengainer leurs épées. Oh ! et j'oubliais : il va nous tuer aussi.

Soudain, Urgum jeta un regard à la fille assise aux côtés du vieil homme. Comme elle avait l'air digne ! La tour de jais de sa chevelure était maintenue par des peignes d'argent. Et cette robe bleu roi qui couvrait ses épaules frêles lui donnait l'air… Bref, elle avait de la classe, quoi !

Jusque-là, Urgum ne s'était jamais vraiment intéressé aux filles. Il faut dire qu'elles étaient du genre à se plaindre à la moindre

54

égratignure. Et puis… Elles sentaient bizarre quand même ! Sans parler du fait qu'on ne pouvait pas se bagarrer avec elles. Sinon, c'était un coup à se faire traiter de mauviette par les copains. Mais cette fille-là avait attiré son attention. Sa peau était légèrement hâlée, et elle ne ressemblait pas aux autres Mains-douces qu'il avait déjà rencontrées, et qui crânaient avec leur corps trop mince ! Au fait, c'est à propos de ces mains qu'il y avait le plus à dire : elles reposaient délicatement l'une contre l'autre sur ses genoux, détendues. Quel contraste avec celles de son père ! Lui avait les doigts crispés qui tapotaient nerveusement le bras du sofa à porteurs.

– Il ne peut pas les tuer *tous* ! commenta-t-il.

Divina scruta Urgum d'une drôle de manière, les yeux mi-clos comme si elle essayait de lire dans ses pensées. Urgum, à son grand étonnement, en fut embarrassé. C'est alors qu'il posa sa hache sur son épaule et lâcha un rugissement retentissant. Ah, il se sentait mieux !

– Oh que si, il peut tous les tuer ! affirma Divina en esquissant un sourire à peine visible. N'est-ce pas ?

Urgum eut la bouche si sèche, tout à coup, qu'il fut incapable d'articuler un mot. Alors, il hocha la tête en guise d'approbation. Que cette fille, une Main-douce de surcroît, ait vu en lui les qualités d'un valeureux guerrier le mettait en joie. Du coup, il continua à hocher la tête. Et encore, et encore, et encore… Ce qui lui donna l'air d'une parfaite andouille. Et ce fut pile au moment où il se décida à arrêter qu'elle haussa son sourcil gauche et lança ses premières foudres :

– Laissez-moi deviner… Vous êtes un sauvage très cruel et nous sommes tous condamnés à une fin atroce. Soit. Mais honnêtement, monsieur le Barbare, je ne suis pas très impressionnée. À part cela, vous savez faire autre chose ?

Urgum resta impassible. Il jeta un coup d'œil aux esclaves qui se tenaient devant lui. Ils avaient à peu près le même âge et la même taille que lui. Il comprit, à la manière dont ils tenaient leurs épées, que deux d'entre eux avaient dû suivre un stage d'autodéfense à l'école des gladiateurs. Quant aux autres…

S'ils atteignaient leur cible ils auraient de la chance. Certes, ils étaient costauds, mais c'était de la gonflette ! Pas étonnant, avec toutes ces années passées à tenir à bout de bras des sofas à porteurs, ils n'avaient pas développé les bons muscles. En clair, ils étaient taillés comme des déménageurs, ce qui était parfait pour porter des charges lourdes, mais nul pour un combat au corps à corps où la rapidité l'emporte sur le reste. Et puis, ils étaient morts de peur. Enfin, il y avait de quoi : une furieuse odeur d'adrénaline se dégageait d'Urgum. Il n'en fallait pas plus

pour terrifier ces combattants inexpérimentés, et Urgum n'était pas du genre à éprouver de la pitié. Pourtant, ces pauvres gars ne méritaient pas de mourir... Le Barbare avait cependant senti au fond de lui qu'il en faudrait bien plus pour impressionner la fille. Elle l'avait battu froid en fronçant le sourcil. Ce qui avait suscité en lui l'irrépressible envie de tout faire pour lui en mettre plein la vue. Seulement, s'il n'y arrivait pas en massacrant tout le monde, comment allait-il bien pouvoir s'y prendre ?

Urgum balançait sa hache de droite et de gauche. Les esclaves serrèrent les rangs, tenant leurs armes à bout de bras, pointées sur Urgum. C'était affligeant. Deux ou trois grands coups de hache bien assénés enverraient ces six bras cassés s'écraser sur le sable, le poing encore accroché au manche de leurs épées.

– Et alors ? demanda Gastan à ses esclaves d'un ton brusque. Qu'attendez-vous ? Emparez-vous de lui !

Avec une dextérité époustouflante,

Urgum donna une petite chiquenaude à sa hache pour la faire tournoyer dans les airs. Puis il attrapa la lourde cognée juste en dessous de la lame, le manche pointé vers les esclaves. Il fut ravi de constater que la jeune fille en avait le souffle coupé.

Elle avait les yeux écarquillés comme des œufs d'autruche. D'immenses prunelles d'un intense marron foncé mangeaient son visage : on avait envie de s'y noyer. Ahhhhbsolument délicieux. Le spectacle valait la peine, vraiment. Et là, qu'était-ce ? La naissance d'un sourire ? « Faites qu'elle me sourie », pensa Urgum, alors qu'il envoyait le bout du manche de la hache fracasser les dents de l'esclave le plus proche.

Un simple bâton ou même un manche de javelot aurait été une meilleure arme, plus longue, plus légère. Surtout, Urgum n'aurait pas eu à lutter contre le poids de cette cognée qui menaçait, à tout instant, de le blesser mortellement. Ah ! et puis certains de ces maudits esclaves se révélaient un peu plus coriaces que prévu... POUM-poum... POUM-poum... POUM-poum... Le cœur d'Urgum battait à tout rompre. En l'espace de deux ou trois mouvements, le Barbare avait fracassé une autre rangée de dents avec le bout du manche, broyé deux poignets, cassé d'un bruit sec un avant-bras et deux chevilles, et arraché une oreille qu'il lança dans les airs. Elle tournoya, tournoya et… shplotch… tomba pile entre les mains du vieux Gastan.

Urgum observa un temps d'arrêt et prit une grande inspiration. Il se dit qu'il en avait fait assez pour impressionner la jeune fille, sans pour autant passer pour un frimeur. Cependant, la partie n'était pas terminée : deux derniers esclaves tentèrent timidement de pointer leurs épées dans sa direction.

– Désolé, les gars. Je croyais en avoir fini avec vous. Mais venez, je vous en prie. Tenez, je laisse même tomber ma hache. Allez-y franco.

Urgum se détourna ostensiblement de ses deux derniers ennemis pour jeter son arme au loin. Et ce à quoi il s'attendait arriva : il entendit leur souffle tandis qu'ils s'élançaient vers lui pour le frapper dans le dos. Urgum fit un pas de côté, esquiva avec brio cette double attaque, empoigna les deux esclaves et leur fracassa la tête en les tapant l'une contre l'autre, dans un gros

"CHBLOÏNG"

qu'Urgum trouva fort satisfaisant.

Il enjamba les corps qui gisaient à terre et réajusta ses vêtements pour paraître devant la jeune demoiselle. Il était plutôt fier de lui. Et franchement, il y avait de quoi : ne venait-il pas d'estourbir six esclaves armés jusqu'aux dents avec un pauvre manche de hache ? Encore plus fort : aucun d'eux ne garderait de séquelles irréversibles. Urgum avait veillé à ce qu'ils puissent se remettre d'aplomb. Il n'avait pas gaspillé ces bons esclaves : un vrai travail de pro ! Elle devait être ravie, pour ne pas dire *impressionnée*. Alors, allait-elle sourire, à la fin ?

– Très bien, monsieur le sauvage, vous nous avez montré ce dont vous étiez capable. Maintenant filez, glapit le père de la belle.

– Ce n'est pas à vous de donner des ordres, Père, jugea la jeune fille, tout en fixant Urgum du regard. C'est à lui.

Urgum apprécia cette réplique. D'ailleurs, c'est ce qu'il aurait dit s'il y avait pensé à temps. Elle n'avait toujours pas souri, mais Urgum voyait bien que ses yeux scintillaient quand ils se posaient sur lui. À coup sûr, le spectacle lui avait plu. « Elle va sourire quand elle aura constaté l'étendue des dégâts », songea Urgum. Il suffisait d'être patient. Et en attendant, la seule chose à faire était de rester là, sans bouger, le souffle court, tout en s'efforçant de ne pas trembler. Mais la jeune fille fixait avec inquiétude la jambe du Barbare. Là, juste sur sa cuisse gauche ! Urgum baissa la tête et vit couler, à l'endroit où son pantalon était déchiré, un épais filet de sang. L'un des esclaves avait eu de la chance : Urgum avait été touché. Il plongea ses doigts dans l'entaille pour voir si elle était profonde, quand ses ongles touchèrent un nerf.

– Aaouh ! hurla-t-il sans réfléchir, le visage crispé de douleur. Puis, il regarda de nouveau la fille.

– Oh, pauvre petite chose ! ricana-t-elle.

Urgum était furieux. Contre elle. Et surtout contre lui. Il aurait mieux fait de trucider tout le monde à coups de hache. De toute manière, même s'il avait coupé la fille en menus morceaux, elle continuerait encore de le dévisager. Quant à lui, il serait toujours là à retenir son souffle, et à se demander quand même si elle allait sourire, ou hausser ce satané sourcil gauche.

Tout cela s'était passé vingt étés plus tôt. Il n'empêche, Urgum s'en souvenait comme si cela était arrivé la veille. Il se tenait donc devant l'entrée de Golglouta, scrutant ce même visage, le souffle pareillement coupé. Certes, elle avait pris un peu de poids (enfin pas autant qu'Urgum), le casque de son abondante chevelure s'était paré de reflets argentés, et le bonheur de donner la vie et d'élever sept petits Barbares dans une grotte avait creusé autour de ses yeux de doux sillons, mais elle était telle qu'autrefois.

Quand l'horloge joue de drôles de tours...

Les signes ne présageaient rien de bon.

– Alors comment va mon adorée aux lèvres sucrées comme du miel ? demanda Urgum, s'efforçant d'être jovial.

Mais Divina n'avait pas du tout une bouche sucrée comme du miel. Elle avait plutôt un genre de bouche… humm… Comment dire ? Prête à lui dévorer la tête et à lui recracher les yeux.

– On a fait un sacré voyage, ajouta-t-il en faisant semblant de croire que son récit intéressait Divina. On est allés tout là-bas, là-bas, faire un tour de l'autre côté du Cratère oublié. Mais ne t'inquiète pas, toi, on ne t'a pas oubliée : regarde !

Urgum sortit la petite bourse pleine de bijoux et la lui tendit. Mais elle l'ignora.

– Comme c'est gentil de ta part d'avoir pensé à rentrer à la maison, lança-t-elle froidement.

Partant d'un gros rire bruyant, Urgum feignit de prendre sa réplique pour une plaisanterie.

– Warf, warf, warf ! fit-il en se tapant la cuisse… Beuh ! bien sûr qu'on a pensé à rentrer à la maison. Et puis, on ne s'est pas absentés si longtemps : juste un après-midi. Enfin, je dois avouer qu'il a commencé à faire un peu sombre et là, je me suis dit, restons une nuit dehors. Et une autre. Et encore une. Mais, euh, ce n'était pas si long que ça, hein ! Le cratère n'a gelé qu'une fois ! Alors, on ne va pas en faire un drame. Ce n'est pas comme si on était partis une année ou je ne sais quoi. Enfin, il me semble, hum ? Mais au fait, dis-moi, tu n'aurais pas changé le mot de passe, par hasard ?

– Si.

– Ah, voilà, c'est ça ! Bonne idée ! Franchement chapeau ! D'ailleurs, Olk et moi on a bien rigolé à ce sujet. Et, euh… Tu l'as changé quand au juste ?

– Bah, il y a dix ans ! répondit Divina, exaspérée.

– DIX ? s'étranglèrent les garçons.

Ils n'en croyaient pas leurs oreilles. Ça ne pouvait tout de même pas faire dix ans… Ils n'avaient pas vu le temps passer. Urgum était bien le seul à ne pas avoir l'air de se sentir concerné.

– Dix ans, hein ? Bah ! c'est pas grand-chose. Dix, c'est bien ce chiffre qui vient juste après le un, non ? tenta Urgum.

– NAAAAAAN ! s'emporta Divina.

– Euh, non ! c'est deux après un, P'pa, souffla Ruinn. Et puis après, c'est trois, quatre, cinq, six, sept, huit, neuf, et LÀ, c'est dix…

– Pfff, fallait le dire avant ! cria-t-il à son fils, faisant preuve de la pire mauvaise foi. Avec tout ça, pas étonnant qu'on soit en retard.

Urgum se tourna alors vers Divina.

– Je suis désolé… vraiment. Je n'ai pas réalisé du tout. Bon d'accord, les chiffres et moi, ça fait… Combien déjà ? Mais enfin, ce n'est pas possible, ça ne peut pas faire tant d'années !

– Oh que si, et je peux même le prouver ! souffla-t-elle d'un air renfrogné.

– Tu es en train d'essayer de me faire peur, ou je rêve ?

Eh bien, sache que tu n'y arriveras pas, affirma Urgum.

– Oh que si je le peux !

– Impossible ! Je suis Urgum-le-Terrible. Explique-moi un peu comment tu comptes t'y prendre pour me faire peur. Allez, qu'on voie un peu ce dont tu es capable !

Divina se tourna alors vers la grotte et lança : « Molly ».

– Tu l'auras voulu ! ajouta-t-elle à l'intention d'Urgum.

À ce moment-là, une chose déboula du fin fond de la grotte en poussant des cris de joie aigus. Elle traversa le bassin des autruches en gambadant, se baissa en arrivant à la hauteur d'Olk et sauta au cou d'Urgum pour l'enlacer avant de s'écrier : « Papa ! »

Une sacrée blague

U rgum n'en revenait pas. Les yeux lui sortaient de la tête. Avec une prudence extrême, il dénoua les deux bras fins qui lui enlaçaient le cou et les fit glisser pour se libérer de cette étreinte. Il fit un pas en arrière, cligna des yeux, les frotta, secoua la tête. Il avait beau fermer et rouvrir les paupières plusieurs fois de suite, la personne qui se tenait devant lui ne voulait pas disparaître.

– Une fille ! crièrent les sept fils.

– Et qui l'appelle PAPA ! s'esclaffa Ruff.

Ruinn, quant à lui, s'étranglait de rire :

– Urgum est le père d'une petite FILLE !

– Une fi-fille…

– Des robes…

– Des fleurs…

– Saut à la corde…

Urgum poussa un cri si aigu, et qui dura si longtemps que personne ne remarqua les grondements qui tonnaient haut, très haut dans le ciel.

* * *

Les dieux jumeaux étaient secoués d'éclats de rire tonitruants.

– Alors, sincèrement, hoqueta Tangal en essuyant les larmes qui lui coulaient sur les joues. Qu'est-ce que tu en penses ?

– Fabuleux ! parvint à articuler Tangor, entre deux quintes de rire. Bien que je ne comprenne pas très bien pourquoi tu as ajouté cette histoire des « dix ans » avant que la fille n'arrive. Du pur génie. Mais crois-tu vraiment que ça va le faire changer ?

– Et comment ! affirma Tangal. Jusqu'à aujourd'hui, Urgum ne vivait que pour lui. Il savait très bien que s'il lui arrivait quoi que ce soit, Divina et les garçons seraient capables de se débrouiller seuls. Mais maintenant qu'il y a une petite fille, ce n'est plus du tout pareil…

– Tu veux dire… Tu veux dire…

C'était reparti : Tangor gloussait tellement qu'il arrivait à peine à finir sa phrase.

– Tu veux dire qu'Urgum devra se conduire en personne… *responsable* ? conclut-il.

Alors que les dieux continuaient à s'esclaffer bruyamment, les nuages qui les soutenaient tanguaient et tonnaient.

– Il n'a pas le choix, glissa Tangal en retrouvant son souffle. Si un malheur devait arriver à cette petite, il ne se le pardonnerait jamais et il en mourrait de honte.

– D'un coup, toutes ses chances de s'empiffrer pour l'éternité à notre table volent en éclats, s'enthousiasma Tangor. S'il arrive à nous soutirer plus d'un paquet de chips et un yaourt acticiel, c'est qu'il a du bol !

– C'est parfait, non ? sourit Tangal. Fini de courir par monts et par vaux pour risquer bêtement sa vie, il est forcé de se calmer.

– Et finis le stress et la panique pour nous !

– C'est drôle, quand même, soupira Tangor avec

satisfaction. Urgum a affronté des taureaux géants, des serpents mortels, des bandes de pillards armés jusqu'aux dents d'épées, de flèches, de canons, et jamais personne n'a pu l'empêcher de faire ce dont il avait envie. Mais là, face à cette fillette de dix ans, il ne fera pas le poids.

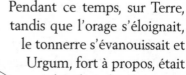

Pendant ce temps, sur Terre, tandis que l'orage s'éloignait, le tonnerre s'évanouissait et Urgum, fort à propos, était tombé dans les pommes. Ses fils formaient un cercle autour de son corps inanimé.

– C'est le choc : ça l'a tué, hoqueta Robbin.

– Su-per ! Aboule les bottes ! fit Rack avec convoitise.

– Pourquoi on te les donnerait d'abord ? intervint Rick. C'est à moi qu'elles vont le mieux…

– Mêêêêêêêê ! bêla Molly. Poussez-vous.

– Eh… Oh ! De quoi je me mêle, morveuse ?

– C'est mon papa, et il va guérir. Parce que c'est Urgum-le-Terrible, hein que c'est vrai ?

En entendant son nom, Urgum ouvrit les yeux. Terrifié, il constata que la petite était toujours là.

– Alors ? trépignait Molly. Pas vrai que c'est toi Urgum-le-Terrible.

– Euh, moi ?

Urgum se redressa prudemment.

– Même que tu es le sauvage qui massacre tout sur son passage, le cavalier archi-redoutable, le combattant le plus crasseux, la légende vivante du folklore barbare qui sent si mauvais qu'on le reconnaît à l'odeur, c'est toi, hein ?

Urgum acquiesça :

– Disons que je fais ce que je peux.

– Maman m'a tout raconté sur toi, Papa.

« Papa ! » Dans la bouche de cette enfant, ce simple mot le faisait tressaillir et grincer des dents. La fillette, elle, sautait de joie autour de lui.

– Oh Papa, mon pôpa à moi, PAPA, Papa ! chantait Molly sur tous les tons. Après tout ce temps, c'est tellement chouette de pouvoir enfin appeler quelqu'un Papa, Papa...

– D...d...di... Divina ! bégaya Urgum. Je crois qu'il faut qu'on parle. Dis-moi que c'est une blague ? Tu l'as empruntée à quelqu'un, c'est ça. Ou alors tu as fait un modèle réduit de ta mère en pâte à modeler.

– Non, ce n'est pas une plaisanterie, Urgum, affirma-t-elle. Molly est bien ta fille.

– Mais, ce n'est pas possible, les petites filles ne poussent pas toutes seules, paf, comme ça, d'un seul coup !

Divina lui rendit son regard. Son visage était fermé. Elle était tout à fait consciente qu'il se passait quelque chose de très particulier. Car lorsque ses fils étaient partis, ils n'étaient qu'une bande d'adolescents mal dégrossis. Une décennie plus tard, rien n'avait changé : c'était toujours la même bande d'adolescents mal dégrossis. Comme si ces dix années ne s'étaient pas vraiment… écoulées. Pourtant, dans l'intervalle, elle avait élevé une petite fille âgée de dix printemps. De toute évidence, quelque chose ne tournait pas rond. Quoi au juste ? Divina ne s'en souciait guère. Car s'il y avait une chose qui lui tenait à cœur, c'était d'avoir le dernier mot. Et entre nous soit dit, Divina avait toujours raison. Quoi qu'en pense Urgum. C'est d'ailleurs ce qui l'aidait à tenir, et à trouver des explications à tous les évènements, si étranges soient-ils, qui se produisaient dans le Désert perdu. Et une fois de plus, elle allait le prouver ! Elle prit une profonde inspiration et exposa sa théorie sur l'apparition de Molly.

– La veille de ton départ, tu te souviens au moment du coucher ? commença-t-elle tout en tapant du pied avec impatience. Tu sais, juste après avoir soufflé les bougies ? Juste avant que tu ne te sois retourné sur le côté pour t'endormir, tu ne te souviens pas de quelque chose qui aurait pu se passer ?

– Euh… Non, répondit-il en piquant un fard.

– Ouuuh pardi, bien sûr qu'il s'en souvient ! plaisantèrent les fils. Hé, hé, Papa, alors qu'est-ce qui est arrivé ?

– Chuuuuuut ! fit-il à Divina.

Il détestait ce genre de conversation. Non, on n'a quand même pas…

Cela ne servait à rien d'essayer de contredire Divina. Elle avait haussé son sourcil. Comme d'habitude, elle avait raison, et lui tort.

– Donc, ta fille est arrivée par l'opération du Saint-Esprit ? ironisa Divina. Dans ce cas, tu ne rentreras pas tant que tu n'admettras pas que Molly est bel et bien de toi. OLK !

La sentinelle géante avança en titubant.

– Tu as entendu Olk ? Tant que Molly n'en a pas donné l'ordre, il n'entre pas, décréta Divina en retournant dans l'entrée du monolithe avant de traverser le bassin et de disparaître dans sa caverne.

– Qu'est-ce que tu penses de tout ça, Papa ? questionna Molly, tirant sur la cotte de mailles de son père. J'avais vraiment hâte que tu rentres. Moi aussi, je veux devenir une Barbare sanguinaire et redoutable comme toi. Tu vas tout m'apprendre, dis ?

– Bon, écoute petite, répondit Urgum. Je ne sais ni qui tu es ni à quoi tu joues exactement, mais ce n'est pas drôle du tout.

Les sept fils s'esclaffèrent :

– Oh, si, si c'est tordant !

– Ah ! je comprends, déduisit Molly qui s'efforçait de ne pas avoir l'air vexé par ce que venait de lui dire son père. Maman m'avait prévenu que tu risquais d'avoir un choc en me voyant. Mais regarde, j'ai un petit cadeau pour toi.

– Un quoi ? Un cadeau ? s'inquiéta Urgum, qui n'était vraiment pas habitué à ce genre d'échange.

D'habitude, s'il voulait quelque chose, il le prenait, et puis voilà. Mais comme il était sonné, il laissa Molly lui prendre la main et y glisser quelque chose. Quand il comprit que ce qu'il tenait entre ses doigts n'était autre qu'une guirlande de fleurs tressées, un sentiment d'épouvante s'empara de lui.

– C'est un collier, lâcha Molly fièrement, c'est moi qui ai planté les graines toute seule dans mon jardin.

– Allez, mets-le, Papa : voyons un peu si ce joli petit collier de fleurs va à ce dur à cuire de Barbare ! lança Ruff avec une voix de fausset.

– Lui, je suppose que c'est mon frère Ruff, glissa Molly en le toisant.

Ruff ne savait plus où se mettre. Il ne s'attendait pas à être démasqué de la sorte. Mais il se garda bien de le montrer et prit un air suffisant.

– Oh… je vois, lâcha-t-il. Maman t'a tout raconté sur moi. C'est bien elle, ça !

– Tout, non. Elle a juste dit que tu étais le benêt de la bande.

– Hé, gamine ! maugréa-t-il. Tu viens de me traiter de benêt, là ?

– Oui. C'est parce que tu penses que mon père a trop la trouille de porter le collier.

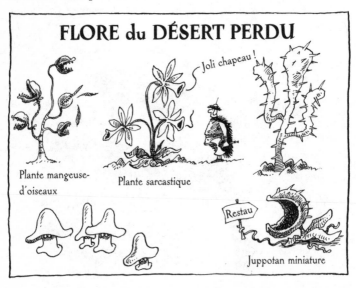

FLORE du DÉSERT PERDU

Joli chapeau !

Plante mangeuse-d'oiseaux

Plante sarcastique

Restau

Juppotan miniature

– Bien sûr qu'il a la trouille ! tonna Ruff.

Derrière lui, les six garçons souriaient de toutes leurs dents. Mais ils commencèrent à rire jaune lorsque Urgum se tourna vers eux, prêt à en découdre, sa hache à la main.

– Mon père, il n'a peur de rien, hein Papa ? insista Molly.

– Mortellement vrai. Je n'ai peur de rien ! grogna Urgum en regardant les garçons. Vous feriez mieux d'écouter cette petite. Je suis Urgum-le-Terrible et rien ne me fait peur !

– Allez, vas-y, Papa ! l'encouragea Molly, en lui donnant un petit coup de coude.

– Comment ça, vas-y ?

– Montre-leur que tu n'es pas une mauviette. Mets le collier !

Urgum était complètement sidéré. Son instinct lui dictait d'écrabouiller le collier et de flanquer cette petite dans une fosse pleine de goudron. Mais il se passait quelque chose d'étrange. Son imagination lui jouait de drôles de tours. Il avait l'impression d'entendre des voix lui murmurer : « Urgum, c'est trop facile ! Tu veux qu'on se souvienne de toi comme Urgum-le-Terrible qu'une poignée de fleurs terrassa ? »

Tout cela n'avait pas de sens. Est-ce qu'il avait paniqué lorsque l'aigle de Gomah l'avait emporté entre ses serres gigantesques ? Non ! Et lorsqu'il s'était retrouvé dos au mur devant Taurassix, le taureau à six têtes, avait-il fait dans ses bottes ? Non ! Alors pourquoi diable ce petit collier de fleurs le faisait-il tant trembler ?

Urgum considéra la fillette : elle semblait vraiment fière de se tenir aux côtés de son père pour défendre son honneur. Puis son regard se promena sur ses fils. Ses soi-disant sept merveilles qui riaient bêtement de leur pauvre père. Pour la première fois, Urgum songea que le recours à la barbarie, qui lui semblait pourtant si naturel, n'était peut-être pas la bonne solution. Et s'il osait le mettre, ce collier, après tout ? Ce serait une manière de prouver sa bravoure comme jamais il n'avait eu l'occasion de le faire jusqu'alors. C'était une épreuve de courage suprême. Il n'avait pas le droit de faillir.

Il se tint face à ses fils, brandissant sa hache au-dessus de lui, prêt à frapper si l'un d'eux avait l'audace de ricaner bêtement. C'est alors qu'il prit le collier et se le mit autour du cou. Les garçons tenaient leurs lèvres bien serrées. Tout juste s'ils osaient encore respirer. Ils savaient qu'au moindre sourire, le bras armé d'Urgum s'abattrait sur eux. Et ils finiraient en tranches de viande si fraîches qu'à peine taillées, elles remueraient encore.

– Waouh, Papa ! fit Molly, le souffle coupé. Tu leur as fichu une sacrée trouille ! Maman m'avait bien dit que tu étais un dur à cuire. Mais, franchement, je n'aurais jamais cru que tu serais si cool.

– Cool, moi ? reprit Urgum qui tentait de contenir la

joie que le compliment de Molly venait de provoquer chez lui. Il tenait à rester… Euh… *cool* ! C'est qu'il avait une nouvelle réputation à défendre, désormais.

– La seule chose que Maman a oublié de me préciser, c'est à quel point tu étais beau, avoua Molly.

– Ah, bon, elle ne te l'a pas dit ? demanda Urgum.

Cette fois-ci, il oublia sa nouvelle image, jeta sa hache par terre et fit un bond en criant « youpi ». Ce qui n'était pas *cool* du tout.

– Non, en fait, c'est parce que t'es trop moche ! continua Molly. Mais je t'aime quand même, P'pa.

Sur quoi, la fillette se hissa sur Urgum et jeta ses bras autour de son cou pour lui donner un énorme baiser.

Les fils n'en pouvaient plus.

– Hé, toi, le type qui porte des fleurs…, lança Rick.

– … Nous aussi, on veut des bisous, Papa ! cria Rack.

Les garçons se tordaient de rire, à l'exception de Ruff qui attendait avec impatience de se venger de cette gamine qui l'avait traité de benêt. À coup sûr, personne n'oserait le contredire.

– On se moque de vous, Père, remarqua Ruff, pompeusement.

– Bien vu ! Ah, ah, ah ! confirma Ruinn en rigolant.

– Ça ne peut pas continuer comme ça. Vous êtes censé vous conduire en Barbare. Et pour réparer pareil outrage, le sang doit être versé ! poursuivit Ruff.

– Que veux-tu dire exactement ? demanda Urgum.

– La fille ! lâcha Ruff d'un ton accusateur, en pointant Molly du doigt. C'est par elle que tout est arrivé. Vous savez ce qu'il vous reste à faire. Du sang, du sang, du sang…

Les autres garçons se joignirent à Ruff et reprirent en chœur cette sinistre complainte.

– Du sang ! Du sang ! Du sang !

Ruff se dirigea à grandes enjambées vers la hache d'Urgum et s'en saisit. Puis, d'un geste très solennel, il la remit entre les énormes mains de son père.

– Que dira votre mère ?

– Mère n'est pas une véritable Barbare, répondit Ruff sur un ton suffisant. Mais toi, si. Et ton honneur a été bafoué. Alors, vas-y, mon gars, fais-le.

Urgum se sentait piégé. Jusque-là, toutes les décisions qu'il avait prises avaient toujours été très simples, car lorsque l'on est un Barbare, on a toujours raison. Jamais il n'avait été soumis à une telle épreuve. S'il se trompait maintenant, c'en était fini de sa réputation. Il serait juste bon à ramasser des patates ou à vendre des savonnettes. Autant mourir. Alors, doucement, il leva sa hache au-dessus de sa tête. Molly se tenait debout, face à lui, une curieuse expression s'était figée sur son visage.

– Cours ! lui souffla son père. Vas-y, va-t'en ! Viiiite !

– Mais pourquoi je m'en irais ? Moi, je veux être une vaillante Barbare comme toi.

Jamais la hache ne lui avait paru si lourde.

– N'as-tu pas peur ?

– Bien sûr que non, les Barbares n'ont peur de rien. En plus, mon père ne va pas me tuer, ajouta-t-elle en fixant Ruff du regard.

Celui-ci se tenait à côté d'Urgum, l'air très fier de lui.

– Et tu sais pourquoi mon père ne va pas me tuer ? reprit-elle.

– Pourquoi ? demanda-t-il.

– Parce que c'est une grande, grosse, grasse et vieille poule mouillée, s'écria Molly en bondissant sur Urgum.

Elle glissa ses mains sous ses aisselles, et agita ses petits doigts. Urgum poussa un hurlement. Il n'en pouvait plus de rire. À tel point qu'il en laissa tomber sa hache.

– Pouh…ouh…ouh…ousse-toi, nan, arrête ça tout de sui…hi…hi…hi…te, c'est pas du jeu, pitié, je me rends… AU SECOURS !

Urgum chancela et tomba à genoux. Molly en profita pour taquiner une dernière fois ses dessous de bras, puis recula.

– Alors, on en redemande ? s'écria-t-elle.

– Arrête, implora Urgum entre deux éclats de rire, des larmes plein les joues. C'est bon, stop, plus de chatouilles et, promis, je ne te découperai pas en rondelles.

– Juré ? insista Molly.

– Juré, craché… ! s'étrangla Urgum, qui essayait de retrouver son souffle.

Derrière lui, ses fils le fixaient, ébahis.

– Hé ! intervint Ruinn. Et le sang dans tout ça ? Et l'outrage ! Il faut bien le réparer, non ? Car être ou ne pas être un vrai Barbare, telle est la question. Ou est-ce que ça n'a plus d'importance pour vous ?

Mais du sang, il y en eut. Et même beaucoup. Car lorsque Urgum avait lâché sa hache, elle était allée se ficher droit dans la cuisse de Ruff. Et ce fils qui s'était toujours senti plus important que les autres se trouvait à terre, râlant et geignant dans une mare écarlate qui se répandait autour de son corps.

– Ça te fait mal ? s'informa Robbin.

Ruff ne put rien répondre. Il souffrait le martyre. Seul un grincement s'échappa de ses lèvres.

– Ça me va, j'en ai assez entendu.

Robbin lança un sourire à Molly, fit quelques pas dans sa direction et tendit son bras pour lui serrer la main.

– Bon boulot, petite. Moi, c'est Robbin.

– Ah, je me rappelle ! Maman m'a dit que c'est toi le plus gentil.

– Oh ! souffla Robbin en rougissant légèrement.

– Et est-ce que tu as deviné qui sont les autres ?

– Ah oui, trop fastoche ! Rick et Rack n'arrêtent pas de se chamailler.

– C'est jamais moi qui commence ! protestèrent les siamois en chœur, chacun d'eux pointant l'autre du doigt.

– C'est lui ! Menteur, va.

– Quoi, tu m'as traité de menteur ! Tu vas voir si je suis un menteur. Je vais te botter le derrière, moi.

Aussitôt dit, aussitôt fait. Les siamois tentèrent de se donner un coup de pied, levèrent la jambe au même moment… et tombèrent à la renverse.

– Raymond, c'est le cerveau de la bande.

– Tout juste, acquiesca Ruinn en extirpant la cervelle de Raymond d'un des sacs. Regarde, tu vois tous ces petits trucs violets qui brillent et qui palpitent. Ça veut dire qu'il réfléchit.

– Et toi tu dois être Ruinn. Celui qui est un peu bizarre, ajouta Molly. Vous voyez, je vous connais tous les six.

– Mais on est sept, corrigea Robbin.

– Oh… Oh oui ! c'est vrai, confirma Molly en recomptant les garçons. En vérité, Maman a oublié de me parler de l'Autre.

Urgum s'était enfin relevé et s'apprêtait à faire un discours.

– Mes bien chers fils… et femmelette, dit-il en jetant

un regard consterné à Ruff. Je ne sais pas comment cela a pu se produire, mais c'est une bénédiction : vous avez gagné une sœur, et moi, une fille rien qu'à moi.

Un murmure roula au-dessus de l'assistance et les têtes dodelinaient en signe d'approbation. Très fière, Molly rayonnait.

– Hourra ! s'exclama-t-elle, sautillant autour d'Urgum, jetant des pétales de fleurs sur les garçons, le cœur rempli d'allégresse. Moi aussi, je vais devenir une Barbare !

– ATTENDS, ATTENDS, ATTENDS !

ordonna Urgum en grognant.

Molly fut stoppée dans son élan.

– Bah, quoi ? demanda-t-elle.

– PAS QUESTION !

– Et pourquoi pas ?

– Parce que…, commença Urgum, en pointant solennellement son index vers le ciel, il cherchait une réponse. Parce que… Premièrement : tu es une fille ; deuxièmement : tu sautilles et tu jettes des pétales de fleurs ; troisièmement : tu n'as aucune cicatrice ; cinquièmement : les Barbares ne remportent pas la victoire en faisant guili-guili sous les aisselles de leurs adversaires…

– Tu as oublié le quatrièmement, se permit-elle d'ajouter.

– … Et par-dessus tout, tu ne peux pas devenir une

Barbare parce que tu manies ces chiffres stupides sans te tromper, conclut Urgum d'un ton sec.

« C'est ce que l'on arrive tous à faire, sauf toi ! » pensa Ruinn. Il aurait bien aimé le dire, mais il s'en garda bien.

Tous les garçons savaient que lorsque Urgum commençait à discourir sur ce qui faisait qu'on était un Barbare ou pas, il était très dangereux de le couper. Cela demandait beaucoup plus de cran qu'ils n'en avaient tous. Molly, elle, en avait assez :

– Ah, vraiment ? fit-elle avec emphase. Eh bien, si tu étais resté à la maison pour m'élever comme il faut, au lieu de laisser Maman se dépatouiller toute seule pendant que tu faisais le dandy au loin en prétendant que tu chassais la licorne, JE SERAIS devenue une Barbare ! Alors oui, j'ai passé mes dix premières années à planter des fleurs et à apprendre à compter, mais cela ne veut pas dire pour autant qu'il est trop tard. À CONDITION, bien sûr, que tu y mettes vraiment du tien. Enfin, si tu n'es pas trop gras, trop feignant, trop lâche pour ça !

Les garçons avalèrent tous leur salive en même temps. Un drôle de « gloups » retentit. Faire le dandy ? Non, ils avaient dû mal entendre. Elle n'avait pas pu accuser Urgum-le-Terrible de faire le dandy.

En réalité, ils ne savaient pas ce que « faire le dandy » signifiait. Mais ils devinaient ce que cela ne signifiait pas. Ce n'était pas du tout le genre de chose que l'on pouvait reprocher au plus redoutable sauvage que le Désert perdu ait jamais connu. Oh ! là, là ! cette fois-ci ça allait barder !

À pas de loup, ils se retirèrent, laissant le Barbare et la petite fille à leur sort. Après tant d'années passées au côté d'Urgum, les garçons s'étaient habitués à le voir se consacrer à des entreprises aussi funestes qu'incongrues. Mais aucun d'eux ne se sentait préparé à ce dont ils allaient être, à coup sûr, les malheureux témoins.

Urgum semblait sonné. Comme s'il avait reçu sur la tête un coup de ce gros maillet dont Olk se servait pour assommer les hippopotames. PERSONNE ne lui avait jamais parlé de la sorte. Il était là, cloué sur place, la rage au cœur. Son esprit s'embrouillait alors qu'il cherchait la meilleure façon de donner à cette épouvantable mioche une leçon dont elle se souviendrait toute sa vie. Devrait-il la jeter dans la fosse aux ours ? L'attacher au-dessus d'un geyser en pleine éruption ? L'enduire de miel et attendre que les fourmis creusent leurs galeries sous sa peau ? La suspendre au-dessus d'une herse chauffée à blanc ? Ou tout ça en même temps ? Mais pour qui se prenait-elle, pour se pointer avec sa mine de petite fille modèle, en croisant ses petits bras fins, avec son petit air de celle-à-qui-on-ne-la-fait-pas ? Elle allait regretter ce jour où elle avait eu l'impertinence de croire qu'elle pourrait infliger un sermon au plus redoutable sauvage que le Désert perdu eût jamais porté en son sein. Elle serait désolée et implorerait la clémence d'Urgum. Mais elle réaliserait alors combien il avait eu raison, et combien elle avait eu tort. Ainsi, elle n'oserait plus jamais lui parler comme elle l'avait fait. Plus jamais.

Et c'est là que la pire des choses qui pouvait arriver se produisit. Molly haussa son sourcil gauche.

Urgum fut si horrifié qu'il en eut le souffle coupé. La fille savait très bien ce qu'il avait en tête, et pourtant, elle s'en moquait éperdument. Urgum ne l'impressionnait déjà plus. Pas plus qu'il n'impressionnait sa propre mère, d'ailleurs, et cela faisait des années que cela durait. Alors, il se sentit très las. Tous les muscles de son corps capitulèrent et devinrent flasques. Sa mâchoire descendit, sa langue pendouilla et il commença à tituber.

Robbin et Ruinn accoururent et attrapèrent son bras pour le maintenir droit.

– Et toc ! lâcha Molly. Ça faisait un bout de temps que j'attendais de dire ce que je viens de dire, et maintenant que je l'ai dit, c'est dit, alors pas un mot. Et quand vous aurez tous fini de me regarder bouche bée, vous rentrerez peut-être dans la caverne ?

Urgum cligna des yeux et sortit de sa torpeur. Robbin et Ruinn empoignèrent Ruff pour l'aider à se lever, pendant que les autres rassemblaient les chevaux. Molly passa devant Olk en sautillant. Mais lorsque Urgum et ses sept fils approchèrent, un hurlement déchira l'air :

– Mot de passe !

– Molly, attends, ne bouge plus ! ordonna Urgum, qui essayait de s'accrocher aux derniers lambeaux de dignité qui lui restaient. On n'a toujours pas le nouveau mot de passe !

– C'est bon, lâcha Molly en revenant sur ses pas. Olk connaît le mot de passe, tu n'as qu'à lui demander.

– C'est pas comme ça que ça marche.

– Franchement, soupira Molly, sers-toi de ta tête. Olk, est-ce que tu connais le nouveau mot de passe ?

– Mot de passe, moi connaître !

– Alors, c'est quoi ?

– CHÈVREFEUILLE.

– CHÈVREFEUILLE ?

Cette fois-ci, Urgum et ses fils étaient vraiment sur le point de défaillir.

– Entrez ! s'écria Olk.

– Vous voyez ? glissa Molly. Je vous l'avais bien dit qu'il le connaissait. Merci Olk.

Urgum et ses fils se regardèrent les uns les autres, effarés.

– Bon, allez ! s'impatienta Molly. Dites « merci Olk », et entrez.

Ainsi, le plus prudemment du monde, Urgum et ses fils dirent merci à Olk, se baissèrent pour passer sous la redoutable lame de son épée et pénétrèrent enfin chez eux.

Un copain très moche

Une voix pénétrante résonna à travers le bassin de Golglouta :

– C'est qui le vilain garçon, hein ?

– Mongoïd ! lâcha Urgum en se précipitant vers l'endroit d'où venait la voix.

Là, sur les marches, était assis son plus vieil ami. Le plus moche, le plus cher de tous ses meilleurs copains : Mongoïd l'Ostrogoïde ! Il était en train de se tailler un nouveau dentier, des crocs de combat en corne de rhinocéros, et venait de s'en coincer quelques-uns dans la bouche.

– Qu'esch que u penches de ches dents ? grogna-t-il.

Sur les dents, Urgum l'était vraiment ! Mais il n'avait pas de temps à perdre en vaines paroles.

– Mongoïd, mon vieux compagnon. Dis-moi exactement ce qui s'est passé ici.

– É choches ont chanchés ! marmonna Mongoïd. Premièrement, ch'ai des nouwelles dents.

– Et alors ! Moi aussi, j'en ai de nouvelles, ironisa Urgum.

– Ha bon ? demanda-t-il après avoir recraché son attirail. Il était un peu jaloux.

– Oui et ce n'est pas tout. J'ai une nouvelle bouche, une nouvelle tête, et même un corps entièrement neuf avec de nouveaux bras et de nouvelles jambes et tout, et tout !

– T'es sûr ? demanda Mongoïd, qui en doutait un peu.

Il avait beau regarder Urgum des pieds à la tête, il ne voyait pas de changement. C'était toujours le même vieux sauvage crasseux.

– Et la grande nouveauté, c'est que j'ai une…. FIIIIILLE ! bêla Urgum.

– Oh… Tu veux parler de Molly, glissa Mongoïd l'Ostrogoïde. C'est une chouette petite. Elle m'aide à plumer les autruches. En fait, c'est elle qui le fait pendant que, moi, je les empêche de se débattre.

– Tu ne les tues pas avant, toi ?

– Naan, y a plus rien de drôle sinon.

– Très bien, passons. Mais dis-moi, d'où vient-elle cette Molly ?

Mongoïd fronça l'épaisse toison qui lui tenait lieu de sourcils.

– Comment ça, d'où elle vient ? Bah ! de là d'où nous venons tous. Elle est née l'hiver qui a suivi ton départ pour la Chasse à la Licorne.

– Tu te fiches de moi ? demanda Urgum. Si c'était le cas, elle ne serait encore qu'un nourrisson.

– Les choses ont changé en dix ans, soupira Mongoïd, comptant sur ses doigts pour montrer à Urgum combien faisaient dix hivers.

Urgum secoua la tête, il ne pouvait y croire.

– Ça ne peut pas faire dix ans, est-ce que j'ai l'air de quelqu'un qui est parti à la Chasse à la Licorne pendant dix ans ?

– Humm... Difficile à dire, nota Mongoïd avec prudence.

– Alors, je vais être plus clair : est-ce que je pue comme quelqu'un qui serait resté à la Chasse à la Licorne pendant dix hivers. Toi, comprendre ? Alors, toi sentir !

Mongoïd s'exécuta et renifla Urgum.

– Humm..., fit Mongoïd, bah ! quand même, tu pues vraiment. Mais je n'irai pas jusqu'à donner à ce fumet dix ans d'âge. Sauf, bien sûr, si tu as pris un bain entre-temps...

Mongoïd trouva sa sortie si drôle qu'il prit une grande respiration pour mieux exploser de rire. Mais soudain, il se rappela que le seul fait de suggérer à Urgum de *faire sa toilette* était une sorte de délit de lèse-majesté passible de la peine de mort. Alors, ni une, ni deux, il pressa sa main sur sa bouche pour tenter de contenir son rire. Malheureusement, il était déjà bien lancé. Ne trouvant pas de porte de sortie côté bouche, l'air changea aussi sec de direction, prit le virage qui menait vers la cavité

nasale et s'échappa par les narines en faisant un bruit de canard qu'on écrase.

Urgum lui lança un regard sombre et suspicieux.

– Est-ce que tu as osé dire que j'avais pris un bain ?

– Eh bien, tu sais, les choses ont changé, se justifia Mongoïd. Alors peut-être que toi aussi…

– Non, certaines choses ne changent pas. Et arrête un peu de répéter que les choses changent tout le temps.

– Je vais essayer. Mais ce n'est pas facile.

– Pourquoi ?

– Parce que les choses changent.

– ÇA SUFFIT ! beugla Urgum en menaçant Mongoïd de son index. Je te préviens, arrête de dire… C'est quoi cette odeur ?

– Ça va pas, je n'ai jamais dit « C'est quoi cette odeur ? », moi !

– Mais non, je parle de l'odeur, là, qu'est-ce que c'est ?

Urgum, par l'odeur alléché, humait l'air avidement. Son doigt menaçant était toujours pointé sur Mongoïd. Mais lorsque l'index comprit que le reste d'Urgum n'était plus en état de menacer quiconque, il se sentit un peu seul et renonça à jouer les gros durs. Du coup, il fit une drôle de petite pirouette et se replia pour disparaître dans la poche du Barbare.

– Je crois que la seule chose qui sente vraiment ici, c'est toi, remarqua Mongoïd.

– Non, il y a autre chose, répliqua Urgum qui commençait à saliver. Mmm ! c'est que ça sent bon.

– Oh, çaaaa ! comprit enfin Mongoïd. Ça vient de chez toi. Molly en avait assez d'avoir du méchoui pour le goûter. Alors, elle a décidé d'aider Divina à inventer de nouvelles recettes.

– Wow, je ne savais pas que la nourriture pouvait sentir aussi bon.

– Eh oui, les choses changent.

– ARRÊTE DE DIRE ÇA !

Et dans un geste de colère, Urgum se saisit de sa hache,

tandis que Mongoïd s'emparait de son dentier de combat.

– Je vais te hacher menu ! cria Urgum.

– Pas chi che t'arrache le bras a'ant ! ronchonna Mongoïd.

– À la bonne heure ! lança Urgum en balançant un grand coup de hache qui manqua d'un cheveu le cou de Mongoïd. Ça fait tant d'années que l'on n'a pas eu une de ces bonnes vieilles bagarres, pas vrai !

CHKRONCH !

Les crocs de Mongoïd s'enfoncèrent dans le bras d'Urgum… et y restèrent plantés quand celui-ci se dégagea d'un bond sur le côté.

– Zut ! ils sont coincés…

– Bah oui ! je sais, il faut que je trouve des grosses vis pour les fixer plus solidement sur la mâchoire.

– À ton avis, comment je les enlève ? demanda Urgum, alors qu'il essayait d'arracher un croc.

– Je pense qu'avec une tige de métal un peu courbée, comme une cuillère tordue, ça devrait marcher.

– Bon, c'est pas grave, de toute façon. Pas de quoi fouetter un chat. Je les enlèverai plus tard. Mais, dis donc, c'était quand la dernière fois que l'on s'est battus au fait ?

– Ouuuuh ! il y a un bail, reconnut Mongoïd. Tu te souviens, avant ton départ, on a été attaqués par les gros Breiz-d'Ingues.

– Ah oui, les Breiz-d'Ingues ! s'esclaffa Urgum. On avait recouvert la fosse aux ours d'un filet et ils sont tous tombés dedans.

– C'est ça, se rappela Mongoïd. Et ceux que les ours n'ont pas dévorés, on les a pendus !

Maintenant, ils riaient de concert.

– Tous en même temps…

– … Et tous sur la même branche…

– … De l'arbre à lynchage…

– … Et ils étaient si lourds…

– … que l'arbre s'est déraciné et est tombé ! Ah ah ah ah !

– Ce pauvre arbre à lynchage, soupira Urgum tristement. On y a passé de bons moments quand on était gamins, pas vrai, Mongoïd ? Je me souviens, autrefois, quand je n'étais encore qu'un sauvageon : les pendus qui gigotaient, on allumait des petits bûchers pour leur arracher un ou deux derniers cris. Ah ! ça ne sera plus jamais pareil sans ce vieil arbre…

– Regarde, souffla Mongoïd en pointant du doigt un arbre élancé dans la partie la plus ensoleillée.

Urgum n'en croyait pas ses yeux.

– On l'a entièrement débité pour faire brûler les gros Breiz-d'Ingues !

– Oui, mais après, on en a planté un autre, dit Mongoïd.

– Mais c'était juste une petite tige quand je suis parti, s'étonna Urgum.

– Regarde-le un peu maintenant, fit Mongoïd. Il a beaucoup poussé pendant ton absence. Crois-moi, bien des choses ont changé.

– ARRÊTE DE DIRE ÇA !

– P't'êt' ben que oui, p't'êt' ben que non.

– Mais d'habitude, tu fais tout ce que je te dis, se plaignit Urgum.

– Aaaah…, répondit Mongoïd. C'est que les choses ont changé.

Un vrai pince-fesses

Urgum était sous le choc et nageait en pleine confusion. Il aurait peut-être été consolé de savoir que, de son côté, Divina se faisait elle aussi du mouron. Elle se trouvait dans la cuisine de leur caverne où elle supervisait la préparation d'un festin qu'elle avait planifié depuis des mois. Seulement voilà, le retour inattendu d'Urgum et des garçons avait quelque peu chamboulé la liste des convives. Mais ça, bien sûr, c'était le cadet de leurs soucis.

À l'époque où Urgum était parti à la Taverne de la Licorne, cette belle cuisine n'existait pas encore. D'ailleurs, la caverne n'était rien d'autre qu'un trou sombre et profond dans la roche. Ce qui convenait parfaitement à Urgum. Car, en bon gros Barbare, il exécrait la modernité et cet étalage de luxe inutile qui consistait à se laver, à se chauffer et à avoir son intimité. D'ailleurs, il tenait à ce que ses garçons soient élevés à la dure, pour devenir de gros sauvages. Et surtout, loin des tentations et du mode de vie de ces chochottes de Mains-douces !

Comment Urgum allait-il bien pouvoir réagir face à ce que Divina décrivait comme « des progrès domestiques notables » ? Seuls les dieux le savaient ! Une chose était sûre : il ne lui ferait jamais de mal. Cependant, il pouvait tout aussi bien repartir pour son désert et ne plus jamais en revenir. Et puis, même si Divina en voulait à Urgum d'avoir disparu pendant dix ans, il fallait admettre qu'au fond, la joie de le revoir l'emportait. Et cela ne changerait jamais.

En tout cas, Divina se sentit sacrément soulagée lorsqu'elle vit qu'Urgum s'était arrêté pour bavarder avec Mongoïd, au lieu de débouler, comme ça, dans la caverne. Ainsi, ses fils seraient-ils les premiers à prendre la mesure des changements, et pourraient se faire leur propre opinion sans avoir à montrer qu'ils étaient d'accord avec leur père.

Grâce aux dieux, ils furent ravis de découvrir que désormais, ils coucheraient dans une grande chambre rien qu'à eux. Et qui fermait en plus ! Finies les longues nuits passées à dormir d'un seul œil pour éviter les attaques sournoises des prédateurs nocturnes. Maintenant, il y avait des portes. Pendant que les garçons se battaient joyeusement pour savoir qui dormirait où, le plus potelé des fils de Divina, Robbin, se montra fort intéressé par la cuisine. À tel point qu'il se lança dans la préparation d'une sauce. Mais pourquoi diable Divina avait-elle

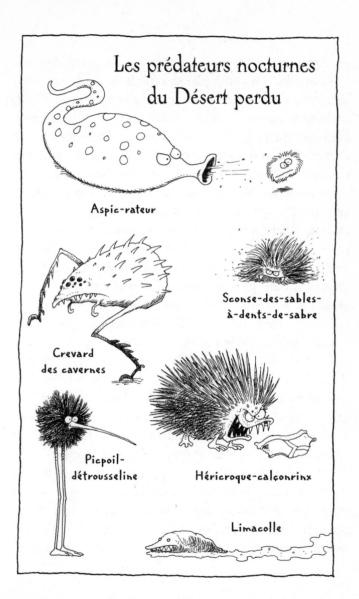

Les prédateurs nocturnes du Désert perdu

Aspic-rateur

Crevard des cavernes

Sconse-des-sables-à-dents-de-sabre

Picpoil-détrousseline

Héricroque-calçonrinx

Limacolle

entrepris de tels travaux au risque de contrarier Urgum ?

Jusque-là, elle s'était pliée au mode de vie de son mari sans broncher. Après tout, c'est elle qui avait choisi d'abandonner son existence oisive de Mains-douces pour l'épouser. Et puis, elle était si fière d'être la femme du Barbare le plus redoutable que le Désert perdu ait jamais connu… Alors, pas question d'entacher la réputation de son époux en laissant libre cours à des lubies idiotes comme d'accrocher des rideaux aux fenêtres ou de cuisiner des brocolis. La petite communauté de sauvages qui vivait à Golglouta était un exemple de métissage. À sa grande surprise, Divina avait été aussitôt adoptée. Elle en était même quelque peu embarrassée. Il faut dire que, chez les Mains-douces, le sort que l'on réservait aux étrangers était bien moins agréable. Être différent revenait à être inférieur, ignoré, insulté et exploité. Tandis que chez les Barbares, la différence était source d'enrichissement : quiconque pouvait faire bénéficier le groupe d'un nouveau savoir-faire ou d'un nouveau talent était le bienvenu. Au pire, celui qui n'avait rien à partager finissait en rôti… Mais au final, d'une manière ou d'une autre, les étrangers étaient toujours très appréciés.

Urgum, Olk et Mongoïd appartenaient tous trois à différents clans de sauvages. Mais dans ce coin si hostile situé aux confins du désert, pour survivre, il fallait se respecter et s'entraider. Avec une poignée d'autres hommes, ils avaient fondé la communauté du monolithe de Golglouta. Et Divina se sentit très honorée lorsqu'elle fut invitée à les y rejoindre. À bien des égards, elle pensait que les sauvages étaient plus civilisés que les Mains-douces.

Oui, mais voilà, Urgum était parti… Et durant son absence, deux évènements s'étaient produits.

Le premier fut l'arrivée de Molly. Autant les garçons pouvaient se contenter de dormir à même le sol dans une caverne grande ouverte, à la merci des sconses-de-sable-à-dents-de-sabre et des aspics-rateurs, autant il était un peu difficile d'exiger la même chose d'une petite fille.

Le deuxième fut une remarque malheureuse, lancée au détour d'une conversation.

Lorsqu'elle se rendait au marché, Divina tombait souvent sur de vieilles connaissances. Ces personnes étaient toujours vêtues à la dernière mode et utilisaient de somptueux sofas à porteurs pour se déplacer. Aucun d'eux n'avait jamais proféré la moindre allusion au fait que Divina avait des habits qu'elle avait confectionnés elle-même et qu'elle conduisait sa carriole toute seule. De même, s'ils avaient de l'argent à dépenser, Divina, elle, troquait ses achats contre des peaux de bêtes ou, très occasionnellement, contre quelques pierres précieuses. On ne lui avait jamais reproché de s'être mal mariée, d'être descendue bien bas ou d'avoir perdu le sens des réalités… En tout cas, pas en sa présence. Et cela, bien sûr, parce que Divina était la femme du sauvage le plus

redoutable que le Désert perdu ait jamais connu. Oui,
devant elle, c'était motus et bouche cousue : personne
n'osait dire quoi que ce soit, de peur de la froisser. Et ce
n'était pas tout : Divina était la seule personne à avoir
réussi l'exploit de faire prendre un bain à Urgum, et à
être encore là pour en témoigner. Ce n'était pas rien !
Car imaginer Urgum se baignant ne pouvait que donner
envie de vomir. Alors, pas étonnant que Divina soit
traitée avec le plus grand et le plus profond respect ! Les
amis de Divina la saluaient donc poliment en lui
souriant. Mais la femme d'Urgum se sentait de plus en

plus mal à l'aise en leur compagnie. Son imagination lui jouait peut-être des tours, mais il lui semblait que les aimables rires tournaient au ricanement méprisant une fois qu'elle avait le dos tourné. La considéraient-ils véritablement comme leur égale ? Et puis, par une chaude matinée, tous les doutes de Divina se confirmèrent.

Molly était assise près du carrefour, où elle essayait de vendre quelques-unes de ces breloques en fleur qu'elle avait fabriquées. Divina était avec elle, lorsque Suprema, l'épouse du chancelier du palais Laplaie, qui justement passait par là, fit tomber négligemment quelques tannas de bronze à Molly, avant de s'emparer de toute la marchandise.

Molly, qui s'était mise à quatre pattes pour ramasser les pièces, était aux anges.

– C'est si gentil de ta part, glissa Divina.

– Oh, je t'en prie, Divina ! dit-elle sur un ton sarcastique.

Elle avait déjà écrasé les fleurs, qu'elle roula en une pelote informe avant de les jeter derrière elle.

– Donner à des mendiants, c'est un acte de charité. Je n'ai qu'à demander à l'hôtel des impôts du palais Laplaie pour qu'on le déduise de mes impôts.

Des mendiantes ? Divina était hors d'elle. Elle, une mendiante ? Elle était bien décidée à prouver le contraire à ses vieilles relations, quand bien même son mode de vie était différent du leur. Certes, elle s'était mariée avec l'homme le plus bestial de tout le désert. Mais cela ne s'était pas fait aux dépens de sa qualité de vie. Et ça, elle voulait le prouver. Ce n'était pas parce qu'une femme quittait le monde civilisé que le monde civilisé devait la bannir, quand même !

Voilà comment toute cette histoire était arrivée, et comment Divina s'était mis en tête de donner un dîner et d'y convier ces dames du palais Laplaie. Hélas ! elle se rendit compte qu'il y avait un énorme travail de préparation. Car, franchement, pouvait-elle inviter ses amis à quitter leurs luxueuses maisons pour s'asseoir sur un sol crasseux jonché de cadavres de chauves-souris et de lézards, au fin fond d'un trou creusé dans la roche, traversé de surcroît par des courants d'air ? Non, c'était impossible. Elle les imaginait essayant d'avoir une conversation pleine d'esprit en mangeant de gros morceaux de viande grillée, choisis sur la carcasse de quelque animal bien gras. Im-pen-sable !

Alors, elle décida que la grotte devait être transformée de fond en comble. Des jours et des jours durant, elle travailla d'arrache-pied pour élaborer les mets les plus raffinés jamais dégustés dans le Désert perdu. Une fois que tout fut fin prêt, il ne lui restait plus qu'à convier les invitées à un petit repas sans chichis dans une atmosphère douillette pour bavarder un peu. Divina leur montrerait comment elle vivait. Et cela mettrait fin aux ricanements.

C'était sans compter sur le retour d'Urgum et des garçons. Évidemment, eux aussi voudraient manger… Or, Divina savait d'avance ce que les invitées penseraient de leurs manières. Sans parler de leurs concours de rots… Et il y avait bien pire encore : les convives étaient sur le point d'arriver, alors que Divina s'apprêtait à montrer à Urgum ce qu'elle avait fait de sa grotte adorée. Là, il faudrait bien plus qu'un regard réprobateur ou un haussement de sourcil pour le tenir en respect.

Voilà pourquoi Divina se trouvait dans sa nouvelle cuisine, à se faire tant de mouron…

Vise un peu la nouvelle voisine

Pendant ce temps, de l'autre côté du bassin de Golglouta, Urgum s'était emparé de sa hache pour tenter de massacrer pour la énième fois son meilleur ami, quand, tout à coup, une rousse en armure, juchée sur un cheval au galop, passa la porte du monolithe. Elle tenait un arc et portait un carquois en bandoulière.

– Waouh ! Une invasion surprise ! se réjouit Urgum, très excité. Sus à l'ennemi, à l'attaaaaaaaque !

– Alors là, sûrement pas ! déclara Mongoïd en essuyant son grand nez d'un revers de manche. Tu vas te calmer, maintenant. Regarde, ça, c'est vraiment la classe !

L'amazone bondit de sa monture et décocha une flèche avant même que ses pieds aient touché terre.

TING !

La flèche frappa une pierre et alla rebondir plus loin, entre les pattes d'une autruche qui sursauta.

CHKLONK !

La flèche ricocha sur la carapace d'une tortue et continua sa course en passant devant Urgum et Mongoïd qui restèrent bouche bée…

BING !

Elle alla frapper une petite cloche qui pendait devant la porte d'une grotte, à côté de celle de Mongoïd. Et…

TOC !

Elle atterrit dans un deuxième carquois situé juste sous la cloche.

Alertés par le bruit, deux coupes-de-nouilles accoururent auprès de l'archère. Les coupes-de-nouilles étaient de drôles de créatures toutes grises et poilues. Ils avaient de longues barbes, des mains courtaudes, des cheveux qui traînaient par terre, et allaient pieds nus. Ils ne supportaient pas la lumière du jour, qui faisait cligner leurs grands yeux. Alors, aussi vite que possible, l'un se dépêcha d'attraper

les rênes de la monture, tandis que l'autre attrapait la paire de lièvres tachetés lancés par la chasseresse. Puis, ils disparurent tous deux dans l'obscurité de la grotte.

– Euh… Qui est-ce au juste ? demanda Urgum à Mongoïd.

Après avoir copieusement léché sa main, laquelle avait la taille d'un régime de bananes, ce dernier tenta de lisser les trois poils qui lui tenaient lieu de chevelure au sommet du crâne.

– C'est Grizelda Barbirella, répondit-il d'une voix étrangement calme.

– Grizelda ? lâcha Urgum dans un éclat de rire. Pas

possible : cette petite esclave que les Breiz-d'Ingues traînaient partout ? La petite morveuse, là ? Bah, je croyais que tu l'avais mangée, moi, depuis le temps !

– Chuuut ! implora Mongoïd. Elle va t'entendre.

Grande et élancée, la jeune fille aux cheveux roux n'avait pas tant l'air de marcher que de glisser vers eux de sa démarche féline. Ses cheveux, qui tombaient en cascade jusqu'au bas de ses reins, ondulaient comme les vagues qui viennent caresser la grève. Mongoïd se redressa d'un bond et fit une révérence.

– Bonjour, Grizelda ! dit-il le cœur rempli de folles espérances, comme elle traversait la cour.

En retour, Grizelda tourna à peine la tête dans sa direction. Un sourire ? Oui ? Non ? Ah, ah... On pouvait dire que ça y ressemblait un peu... et en même temps, pas vraiment. Mongoïd soupira. Il était aux anges. Et là : chkling, pling, bing ! Ses cheveux se tinrent à nouveau au garde-à-vous.

– Alors, euh... À bientôt, hein ? cria-t-il en suivant la

sylphide du regard, tandis qu'elle montait lestement les marches menant à sa grotte. Mongoïd continua à contempler, d'un air pensif, l'image de celle qui venait de s'engouffrer à l'intérieur, longtemps, bien longtemps après qu'elle eut disparu.

– Ouuuuuh… songea Urgum. Les choses ont *vraiment* beaucoup changé !

Le conte
de deux odeurs

Toute tentative de conversation normale avec Mongoïd étant désormais sans espoir, Urgum décida que l'heure était venue de rentrer à la maison et d'aller voir de plus près ce qui sentait si bon. Il traversa le bassin, et marcha en plein soleil en direction de sa bonne vieille grotte. Ah, enfin, il était arrivé ! Il faisait sombre à l'intérieur. L'unique torche accrochée à la paroi s'essoufflait sous les assauts des ténèbres. L'odeur était absolument irrésistible. Urgum salivait. Ce n'était plus une bouche qu'il avait, c'était une véritable fontaine.

– Hé, c'est quoi cette odeur ? cria-t-il.

Pas de réponse. Ses yeux tentaient de percer l'obscurité. Il semblait n'y avoir personne. « Bah ! autant commencer à se déshabiller », pensa-t-il. Après tous ces mois passés dehors, à chasser, quitter son vieux pantalon de cuir lui ferait le plus grand bien. Sans compter qu'il

pourrait en profiter pour se gratter un bon coup. Humm… Comme cela allait être boooon. Mais il n'eut pas le temps de l'enlever car, soudain, il entendit :

– Salut P'pa !

Urgum tressaillit. Il leva les yeux et tomba sur Molly qui avait surgi du coin le plus sombre de la grotte. En clair, de nulle part. Il était stupéfait. Elle le dévisageait en souriant de toutes ses dents, les yeux ronds et grands comme des pleines lunes.

– Rahhh ! grogna-t-il en saisissant sa hache. D'où est-ce que tu sors, comme ça ?

– De la cuisine ! répondit Molly.

– D'où ? demanda Urgum, qui n'avait jamais entendu parler de cuisine et ne savait même pas à quoi cela pouvait ressembler. En tout cas, il était sûr d'une chose : il n'y en avait pas chez lui lorsqu'il était parti.

– Tu fais quoâââ ? le questionna Molly.

– J'enlève mon pantalon, lâcha-t-il en s'empressant de se reboutonner.

– MAMAAAN ! cria Molly. Viens voir, Papa est en train de retirer son pantalon dans le living.

– Dans le quoi ? sursauta Urgum.

– Dans le living, quoi !

– Le l'vingue ?

Et comme pour ajouter à la confusion, Divina apparut à son tour à travers la paroi obscure, juste derrière Molly.

– Comment faites-vous ça, toutes les deux ? Comment faites-vous donc pour traverser les murs ? bredouilla-t-il.

– Oh, ne commence pas à essayer de changer de sujet ! le gronda Divina. À partir de maintenant, je ne veux plus voir personne retirer son pantalon dans le living.

– Mais qu'est-ce que c'est que cette histoire de l'vingue ? hurla Urgum en fendant l'air de sa hache. Ici, on est des sauvages Barbares, et on vit dans une CAVERNE. Et moi, si j'ai envie de retirer mon pantalon, je le fais !

– Bien dit, Papa! Le vrai sauvage a parlé ! l'acclama Molly. Trop coool !

– Molly, je t'interdis de l'encourager ! l'interrompit Divina en affichant une moue sévère. Puis, elle poursuivit : être des sauvages Barbares, ce n'est pas une excuse. On n'est pas obligés de se comporter comme des rustres pour autant. Regarde.

Divina prit une pile de peaux parcheminées sur une étagère. Urgum remarqua qu'elles étaient recouvertes de gribouillages et de dessins, qui n'avaient aucun sens pour lui.

– Qu'est-ce que c'est que ce truc, encore ? demanda-t-il.

– Le magazine *Moderne & Sauvage*, lui souffla Molly. Elle le dévore.

– On y apprend comment améliorer notre mode de vie barbare, expliqua Divina.

– Mais, il est très bien comme il est ! s'indigna Urgum. Pourquoi, diable, devrait-on l'améliorer…

– Pour Molly ! ajouta Divina. Je te signale que l'on a une fille, maintenant. Et je veux qu'elle ait ce dont une petite fille de son âge a besoin.

– Et quoi, par exemple ?

– Eh bien, pour commencer, je souhaite que son père ne quitte pas son pantalon dans le living.

– Pouah ! s'étrangla Urgum. Vas donc t'asseoir dans ton l'vingue, et lis ton mag'zine, si ça te chante. Moi, je ne changerai pas mes habitudes. Pour personne. Non, mais !

C'est alors que Robbin, le plus replet des fils d'Urgum, apparut lui aussi au travers de la paroi, un pas derrière Divina, une fourchette à la main.

– Oh, noOoOn ! gémit Urgum. Robbin aussi ! Mais comment font-ils ?

– Maman ? L'huile est en train de bouillir, annonça Robbin. Est-ce qu'il faut ajouter le jus de poivre ?

– Devine ce qu'on est en train de préparer ? lança Molly à son père.

– Facile ! bégaya Urgum, qui d'un seul coup ne se sentait plus très sûr de lui.

En tout cas, il savait ce que Robbin mijotait.

– Tu es en train d'essayer de faire parler des gens. Tu les as plongés dans de l'huile jusqu'à ce qu'elle bouille, et tu es sur le point de leur injecter du jus de poivre dans les yeux et peut-être de vider leur crâne avec cette fourchette. Tu vois, Divina, je te l'avais dit : ici, on est des sauvages Barbares.

– Euh ! en fait, P'pa, j'aide juste à préparer un en-cas pour ton thé. Qu'est-ce que tu en penses. Ça sent bon, hein ?

L'odeur ? Au moment où Urgum avait commencé à se dévêtir, son odorat s'était en quelque sorte mis en veille. Question de survie face à la puanteur libérée par le Barbare. Mais voilà que tout à coup, les sens d'Urgum se réveillèrent. Il prit une profonde insssssspiration, puis une autre insssss... L'odeur était si délicieuse qu'Urgum ne pouvait plus s'arrêter d'inspirer. Aussi commença-t-il à enfler comme une baudruche.

– Je parie qu'il n'en voudra pas, ironisa Divina en s'adressant à Robbin. Môssieur n'aime pas notre mode de vie.

– Ça va, M'man, ne joue pas les pimbêches ! glissa Molly. Hé, Papa, tu veux voir ce qu'on prépare ?

Urgum, qui salivait toujours, opina si vivement du chef que tout alentour fut aspergé de bave. Et là, pfffrrrr… il expira enfin comme un éléphant, manquant de balayer Molly au passage.

– Très bien ! céda Divina. On va te montrer… si tu te tiens bien comme il faut.

C'était entendu. Urgum laissa tomber sa hache, mais surtout pas son pantalon qu'il se résolut à garder, tout en s'efforçant de ne pas hurler ou de tuer quelqu'un dans l'instant. Divina et Robbin se dirigèrent vers le fond de la grotte. Molly leur emboîta le pas. Mais, lorsqu'elle vit que son père ne suivait pas, elle revint vers lui, prit sa vieille main pleine de croûtes et le tira vers les ténèbres. Urgum s'empara *in extremis* de la torche. Il avança, sur ses gardes. À la lueur vacillante de la flamme, on distinguait une série de trois porches taillés dans le roc.

– Ooooh ! fit-il en soupirant, soulagé. C'est donc grâce à ça que vous traversez ? Mais comment ces énormes trous sont-ils arrivés là ?

– Maman a fait venir un tailleur de pierre.

– Un tailleur de pierre ? s'étonna Urgum.

– Eh oui, pendant que tu prenais du bon temps dehors, Maman faisait la même chose. Mais ici, à l'intérieur…, se moqua Molly. Allez, viens voir, dis-nous ce que tu penses de la cuisine.

Ils passèrent sous le premier porche et là, c'était comme si le paradis des Barbares affamés venait d'ouvrir ses portes à Urgum. Au centre d'une salle immense, la carcasse d'une girafe cuisait au-dessus d'un tas de bûches rougeoyantes. La bête avait été empalée sur une grosse perche métallique, qui tournait grâce à un étonnant système de poulies, de poids et de rouages. L'épaisse fumée s'élevait en volutes et s'échappait par une petite ouverture dans le plafond, où elle disparaissait. Le jus de viande grésillait en tombant sur les braises, qui crachaient des étincelles dans toutes les directions.

Robbin alla remuer le contenu d'une marmite en fonte, qui chauffait sur un poêle.

– C'est quand même autre chose que de torturer des gens, pas vrai, Papa ?

– À cha ché chu, baragouina Urgum, qui ne s'était pas rendu compte que sa bouche était grande ouverte et que sa langue pendait, toute flagada sur sa poitrine… Il faut dire que la girafe rôtie était humm… son plat favori. Les yeux baignés de larmes de joie, il se précipita vers la bête sans penser qu'il risquait de se brûler les jambes.

BOOOiiiiNNNG !

Par chance, la tête d'Urgum se cogna contre un lourd plateau en métal, que Robbin eut le réflexe de jeter sur son passage.

– Pas maintenant, P'pa ! lança Robbin. Attends l'heure du thé !

– Dans quel camp es-tu exactement, toi ? demanda Urgum d'un ton suppliant, tout en montrant la girafe.

– Molly était en train de m'expliquer comment on fait une sauce, répondit Robbin. Et ce n'est pas encore fini, alors un peu de patience.

– Ôte-toi de là, ou je te démolis mon garçon !

– Soit, rétorqua Robbin en essayant de tenir son père à distance par la seule grâce d'un manche de cuillère. Mais, si tu fais ça, tu peux dire adieu à ton goûter.

– AT-TENDS UR-GU-MEUH ! commanda Divina en s'interposant entre le père et son fils. On a encore plein d'autres choses à te montrer d'abord.

– Plein d'autres… *cuisines* ? demanda Urgum. Youpiiiiii !

Divina repartit vers le living et passa sous un second porche. Urgum la suivit, la main toujours fermement cramponnée au manche de la torche.

– La chambre des garçons ! annonça Divina d'un ton solennel. Conçue pour nos sept fils.

– Oooooh, siffla Urgum.

Cette salle-là était à peu près aussi grande que le living-room. Elle était éclairée par plusieurs torches accrochées au mur et des peaux d'ours étaient disposées au sol. Naturellement, les garçons se bagarraient encore pour savoir qui dormirait où. Ruinn était assis sur l'une d'elles et les sacs de Raymond, installés sur celle d'à côté.

– Tu as intérêt à garder ton coin bien rangé comme il faut, Raymond : on ne s'éparpille pas et tout et tout, vu ? bougonnait Ruinn. Ah oui, et puis, pas de crise de somnambulisme à côté de moi, hein !

Non loin de là, sur une autre paire de peaux, les siamois Rick et Rack se battaient pour occuper la place la plus près de la porte. Ruff, quant à lui, se tenait tout près d'une autre peau. Et sur celle-ci, il y avait une bosse.

– Est-ce que quelqu'un a vu l'Autre ? demanda-t-il avant de s'affaler sur la…

– Gleuhrffff ! éructa la bosse.

– C'est si bon de les voir s'installer comme ça, hein ? s'attendrit Divina qui croyait qu'Urgum était juste derrière elle.

Comme elle n'obtint pas de réponse, elle insista :

– J'ai dit, c'est si bon de voir que…

BOOOiiiNNNG !

Divina se précipita hors de la salle. Le bruit provenait de la cuisine. Elle y retrouva Urgum, la tête coincée dans une casserole. Molly se balançait au bout du manche, les pieds dans le vide.

– Je l'ai encore surpris à rôder autour de la girafe, M'man ! expliqua Molly.

La mère et la fille traînèrent Urgum jusque dans le living, en tirant sur le manche de la casserole. Urgum s'ébroua de rage, rua et finit par extirper sa tête de l'ustensile. Pour voir qui ? Divina, plantée devant lui, les bras croisés, le foudroyant du regard.

– Bon sang, mais qu'est-ce que c'est que ces manières. Tu vas te tenir tranquille, oui ? gronda-t-elle. Avant de manger, il faut que tu visites le reste de la maison et que tu me dises à quel point tu trouves ça bien.

Urgum boudait sec :

– Et pourquoi est-ce que je ne peux pas manger MAINTENANT ?

– Parce que ce n'est pas l'heure ! répondit Divina.

– Et en plus, ajouta Molly, c'est même pas pour toi !

– QUOI ?

– Oh, oh ! fit la petite fille embarrassée. Bon, bah, je crois que je vais vous laisser en discuter tous les deux.

Et hop ! Molly disparut en quatrième vitesse vers la cuisine.

– Comment ça, ce n'est pas pour moi ? s'étonna Urgum.

– Je ne pensais pas que tu rentrerais aujourd'hui, expliqua Divina. J'attends de la visite : des dames.

– Des dames ? Quelles dames ?

– D'anciennes connaissances du palais, ajouta Divina. Je veux que Molly apprenne à se tenir comme il faut. Alors, tiens-toi bien toi aussi, sinon tu n'auras rien du tout.

Urgum rugit. Il était furieux :

– Ah oui ? Eh bien, dans ce cas, je crois que je vais me déshabiller dans le l'vingue pour aller me coucher là où je vais toujours me coucher, c'est-à-dire par terre, au milieu de la salle. On verra ce que tes chères petites dames en pensent.

– Essaie un peu pour voir ! Je te préviens : si tu fais ça, attends-toi à ne plus jamais sentir d'odeur comme celle-ci dans la cuisine.

Voilà qui lui cloua le bec.

– Je préfère ça. Maintenant, laisse-moi te montrer le reste de la maison, poursuivit Divina.

– Parce que ce n'est pas fini ? grommela-t-il. Tu as fait venir combien de tailleurs de pierre ici ?

– Juste un seul.

– Un seul ? s'étonna Urgum, les yeux fixés sur les porches. Il doit avoir une sacrée collection de marteaux et de fraises pour réaliser des trous comme ça.

– Même pas. Juste une cuillère à café.

– UNE CUILLÈRE À CAFÉ ? Mais, ça a dû prendre des années…

– Bah, oui dix ans ! Tu sais, le temps qu'il t'a fallu pour retrouver le chemin de la maison, quoi… persifla Divina en comptant sur ses doigts. Dix ans : ça fait un, deux, trois, quatre…

– Bon, ça va, ça va … Et comment tu l'as payé ? Pas avec ces pièces qu'on utilise chez les Mains-douces et que vous appelez de l'argent, j'espère ! Ces trucs-là, c'est la plaie. Ça ne rapporte que des ennuis.

– Ne t'excite pas. Si tu veux tout savoir, je pensais prendre quelques rubis dans le coffre pour le payer. Et devine quoi ? Il a disparu du jour au lendemain et n'est jamais revenu. Tant mieux pour nous, hein, vraiment ! En tout cas, je ne lui ai jamais rien donné, jura Divina.

– Bah ! c'est très bien, alors, acquiesça-t-il.

Ouf… Divina poussa un soupir de soulagement, rien qu'un tout petit. Car elle ne savait pas de quelle manière Urgum allait réagir en découvrant les autres grands travaux et nouveaux aménagements.

– Et qu'as-tu fait réaliser d'autre, qu'on en finisse ? demanda Urgum.

Divina prit une profonde inspiration… Mais les ricanements qui s'échappèrent de la chambre des garçons répondirent pour elle.

– Qu'est-ce qui vous prend, vous autres ? tonna Urgum.

Ruinn passa la tête à travers l'embrasure de la porte :

– Attends un peu de voir où tu dors !

Et tous les autres s'esclaffèrent…

– Qu'est-ce que ça veut dire ? s'alarma Urgum en se tournant vers Divina.

– Ne t'inquiète pas, ça va te plaire ! affirma-t-elle. Enfin, si tu sais ce qui est bon pour toi…

Brandissant sa torche au-dessus de lui, Urgum passa le dernier porche en marchant à grands pas. Il se glissa dans un étroit passage qui menait à une autre série d'ouvertures. La première donnait sur une toute petite salle. Là, une grande peau d'ours recouvrait un lit de paille. Sur la paroi, on avait disposé avec soin une collection de poignards rituels. Dans un renfoncement, une pile de vêtements était soigneusement pliée. Et puis, par terre, il y avait ce tapis en moumoute rose vif !

– Argh ! suffoqua Urgum quand il le vit, en portant sa main à la poitrine.

– Ça va, Papa ? demanda Molly en accourant derrière lui.

– Ah, moi j'peux pas dormir ici ! lâcha-t-il, fébrile. Il y a un tapis de poils rose, là !

– Hé, pas de panique, Papa ! C'est ma chambre.

– Ah ! ça, c'est la meilleure nouvelle de la journée, souffla Urgum, un sourire béat aux lèvres. Tu imagines un peu, Urgum-le-Terrible, dormir là-dedans ? Qu'est-ce que dirait Mongoïd, hein ?

– Toi, c'est là-bas que tu dors, répondit Molly en pointant du doigt le porche suivant.

Urgum se dirigea vers la porte, entra tout en levant la torche bien haut pour y voir clair.

Qu'est-ce que c'était que ça ? Non, ça ne pouvait être qu'un effet d'optique. Ou alors, il avait passé trop de nuits blanches, et la fatigue lui jouait des tours. À moins que ce ne fût un coup des dieux... Allez savoir s'ils n'étaient pas en train de lui jouer un mauvais tour ?

***

Et effectivement, là-haut, au plus haut des cieux, les dieux jumeaux s'en donnaient à cœur joie, à l'insu de ce pauvre Urgum, qui était le dindon de la farce.

– Que va-t-il bien pouvoir faire, maintenant ? s'étrangla Tangor en riant à gorge déployée.

– Tu vas voir : je vais lui trouver de quoi s'occuper, moi ! gloussa Tangal.

Pendant ce temps, dans la chambre, Urgum clignait

frénétiquement des yeux. Peine perdue : impossible de se débarrasser de la vision dont il était victime. Des tentures de soie chatoyante tombaient en cascades du plafond jusqu'au sol, lequel était capitonné de coussins multicolores, festonnés de pompons. Tandis qu'une table de marbre blanc croulait sous une multitude de boîtes de fards et d'onguents, et que robes et châles se disputaient la place sur les portants. Même les coins n'étaient pas épargnés : ils étaient encombrés par des urnes colossales d'où jaillissaient des fleurs. Mais le pire, c'était cette poupée de chiffon avec ses broderies, ses joues roses et ses lèvres vermeilles, qui souriait à Urgum, assise sur les oreillers du lit à baldaquin. Urgum voulut parler. Mais tant de mots, plus grossiers les uns que les autres, se bousculaient vers la sortie qu'il préféra se retenir et rester muet.

Divina, elle, s'assit sur le lit, tapotant un coussin.

– Tu ne dis rien ? glissa-t-elle en souriant pour masquer son inquiétude. Je ne t'en veux pas. C'est bien, non ? J'ai tout fait comme dans le magazine *Moderne & Sauvage*. Viens donc t'asseoir sur ton nouveau lit, espèce de vieux chameau fourbu.

– C'est quoi, ce truc ? Et pourquoi tu tapes dessus ?

– Oh, ça ! Mais c'est un gros coussin tout doux, répondit Divina.

Urgum n'en revenait pas. Il était en état de choc. Bouche bée, il s'approcha pour s'asseoir près de Divina.

Là, tout doucement, il s'abaissa au-dessus du coussin. Quand tout à trac, il se releva d'un coup sec.

– IL M'A EMBRASSÉ LES FESSES ! s'exclama-t-il contrarié. Je l'ai senti. Pouah !

– Je t'assure, c'est formidable de dormir là-dessus, affirma Divina.

– JE NE DORS PAS SUR CE GROS TAS DÉGOÛTANT, beugla Urgum.

– Et où est-ce que tu vas dormir alors ?

Urgum avait remarqué une dernière porte au bout du corridor. Il marcha vers elle, fou de rage, tout en tapant des pieds et en agitant la torche au-dessus de lui.

– Je vais dormir là ! dit-il en entrant à l'intérieur.

Et là…

– HAAAAAAAA !

Divina et Molly accoururent. Urgum était coincé dans un trou au centre d'une minuscule pièce. Seul son buste dépassait encore.

– Ce n'est pas parce que tu n'aimes pas les coussins qu'il faut se jeter dans le trou des toilettes ! s'exclama Divina.

– Les quoi ? fit Urgum qui essayait de s'en sortir avec une seule main, l'autre toujours fermement cramponnée à la torche.

– Les toi-lettes ! répétèrent Divina et Molly en chœur.

– Enfin, quelle que soit cette chose, c'est très glissant, et mes pieds ne touchent pas le fond.

– Mais les toilettes n'ont pas de fond…

– Elles n'ont pas de fond, mais des derrières, oui ! C'est justement pour eux qu'elles sont faites…

– Peu importe, l'interrompit Urgum. Je crois que les toâletteuh sont en train de m'avaler.

Sur le côté, accroché au mur, il y avait une longue, très longue bande de parchemin enroulée autour d'un cylindre. Urgum s'en empara pour essayer de se hisser hors du trou, mais le rouleau se déroula et Urgum s'enfonça un peu plus à l'intérieur du conduit. Alors Molly se précipita pour saisir la bande et tira de toutes ses forces. Ho ! hisse ! Urgum commençait à se dégager, lorsque le parchemin céda sous son poids.

– Aaaaah ! hurla Urgum en disparaissant dans le trou avec sa torche.

– Ooooh ! commentèrent Molly et Divina.

CHKLONK…

BONG !

KABOUM !

Urgum glissa et roula le long du sombre tunnel en s'efforçant de tenir sa torche en l'air pour ne pas la perdre. De sa main libre, il essayait de se raccrocher à la paroi. Mais la roche étant trop glissante, il finit par culbuter. Urgum fit un vol plané et, PLAFFFF, atterrit dans une mare d'immondices aux relents putrides. Il y avait quand même une bonne nouvelle dans tout ça : il s'était enfin arrêté. Et, par chance, sa torche brûlait toujours ! Il s'assit. Une eau d'une saleté effroyable lui léchait la taille. Urgum regarda autour de lui. Il se trouvait dans une petite grotte circulaire. Au sommet, il distinguait le trou par où il était tombé. Il était clair qu'il n'y avait aucun moyen de remonter là-haut.

Urgum soupira en se demandant de quoi il allait mourir. De faim ? Peu probable. De noyade ? Pas s'il pouvait l'éviter. D'ennui ? Possible. Mais par-dessus tout, ce qui avait le plus de chance de le terrasser, c'était la puanteur qui régnait là-dedans. Si la cuisine était le paradis des odeurs, là, c'était l'enfer. L'air était tellement lourd et saturé, qu'Urgum aurait pu s'en couper deux tranches pour ressemeler ses bottes.

Au moment même où il se disait que les choses ne pouvaient pas être pires, le pire, justement, se produisit. Il sentit, sous la surface de l'eau, des doigts se refermer sur sa cheville. Bien qu'il fût le sauvage le plus brave et le plus brutal que le Désert perdu eût jamais connu, Urgum se débattit pour s'arracher à cette étreinte et battit en retraite tant bien que mal vers la paroi de la grotte. Il sentit derrière lui des remous agiter la surface de cet infect cloaque. Une forme hideuse et nauséabonde émergea lentement. La chose semblait avoir forme humaine, mais c'était difficile à dire, tant elle dégoulinait de… sniff, sniff… Beuhrk… Puis elle se releva en titubant et s'essuya les yeux d'un revers de la main. Elle battit des paupières, écarquilla les yeux et regarda la torche avec surprise. Elle se débarbouilla un peu par-ci, encore un peu par-là, et hop ! un visage apparut enfin. Elle commença à crachoter puis à cracher franchement. Et pour finir, la créature se mit à parler.

– Tiens, salut Urgum ! Ça baigne ?

Comment Hunjah perdit la tête

Urgum jeta un regard rempli d'horreur sur ce compagnon inattendu. Il aurait dû s'en douter : le coup du maçon qui avait disparu sans crier gare, de la cuillère, des toâletteuh, de la créature dégoulinante d'immondices…

– Oh, nooon ! soupira-t-il. Pas Hunjah !

– C'est vraiment trop bête que ces toilettes m'aient pris autant de temps, s'excusa l'autre en brandissant un petit bout de métal tordu. Mais le bout de ma cuillère s'est cassé.

Dans l'obscurité et les vapeurs nauséabondes, Urgum contemplait le plus hyper minable des Barbares de tous les temps.

– Hunjah ! éclata-t-il. Mais qu'est-ce qui t'a pris d'aller creuser ce satané trou, long, puant et glissant, et tout noir, bon sang ?

– Bah ! c'est le conduit d'évacuation des toilettes, expliqua Hunjah. Bah ! il faisait de plus en plus noir là-dessous. J'ai continué à creuser, et puis, j'ai dû prendre une mauvaise direction…

– Comment est-ce qu'on sort d'ici ? demanda Urgum. Les parois sont trop glissantes : on ne peut pas les escalader.

– C'est bien le problème…, admit Hunjah. Pour le moment, je continue à espérer qu'à force de creuser la roche comme ça, je finirai bien par sortir quelque part. C'est quoi ce machin enfoncé dans ton bras ?

– Le dentier de combat de Mongoïd, répondit Urgum,

qui avait complètement oublié qu'il était encore là. Il est coincé.

– Oh, dommage…, lâcha Hunjah. On aurait pu s'en servir pour casser la roche en un rien de temps.

– Oui, mais là, je ne peux pas t'aider. Mongoïd a dit qu'il fallait un bout de métal tordu, comme une cuillère cassée pour le retirer. Où veux-tu que j'en trouve par ici ?

– Aucune idée, rétorqua Hunjah. Moi, j'en ai une, mais c'est vraiment dommage que tu n'en aies pas.

– Alors, il ne nous reste plus qu'à nous asseoir ici, au fond de ces toâletteuh jusqu'à ce que notre heure ait sonné. Tu parles d'une mort pour le Barbare le plus redoutable de tous les temps…

– Et quelle autre pour le Barbare le plus hyper minable de tous les temps ! reprit Hunjah. Enfin, mieux vaut en rire, non ?

– Non, trancha Urgum.

Alors ils restèrent assis là, sans rire du tout.

Pendant qu'Hunjah et Urgum se désespéraient, là-haut, dans la plus grande salle de la grotte, la vie continuait. Installés en rond, les garçons mangeaient quelques bouts de grillades, prélevés sur le dessus de la girafe. Fort heureusement pour Divina, aucun d'eux n'avait hérité de l'appétit légendaire de leur père, et son dîner d'apparat était à peine entamé. Mieux encore, ils étaient tous épuisés et, une fois rassasiés, ils tomberaient comme des mouches. À table, s'il leur arrivait de s'étouffer, ce n'était pas avec les bonnes manières ! Mais Dieu merci ! les invitées n'auraient pas à assister à ce triste spectacle.

– Plus qu'un seul morceau ! annonça Molly depuis le seuil de la cuisine.

Ce faisant, elle agita sous leur nez le dernier bout de cuisse de girafe goûteux et grillé à souhait qu'elle tenait entre le pouce et l'index.

– C'est pour quiiii ?

– MOI ! crièrent-ils comme un seul homme en se levant et en se ruant vers elle.

Ruff était sur le point de les dépasser, quand un bras armé d'une fourchette jaillit d'un sac qui se trouvait par terre, tout devant. Et tchak… ! Il planta la fourchette dans le genou de ce pauvre Ruff, qui tomba à la renverse en glapissant de douleur et en entraînant les autres dans sa chute. Ruinn, enseveli sous le tas de corps, jouait des coudes pour refaire surface au sommet de la mêlée. Il essaya de ramper pour se dégager et rejoindre Molly. Et c'est là qu'il tomba nez à nez avec la fourchette qui menaçait de lui crever l'œil. Alors, très prudemment, il se ravisa et reprit ses distances.

– Il est pour toi, Raymond, conclut Molly en se baissant pour piquer le bout de viande sur la fourchette du vainqueur.

D'un bond agile, le bras passa de son sac à un autre

pour y mettre la viande, qui disparut dans un concert de bruits de bouche :

CHKRONCH, CHKRONCH, CHKRONCH, GLURPS...
BLEURP !

Une fois leur repas terminé, les garçons ne tardèrent pas à se traîner jusqu'à leur nouvelle chambre, d'où bientôt s'échappa une symphonie de ronflements contents.

Divina s'avança jusqu'au seuil de la caverne, scrutant l'horizon par-delà le bassin de Golglouta. Plus la nuit tombait sur ce paysage désert, plus Divina mordait sa lèvre inférieure. Molly la rejoignit.

– Tes copines « prout-prout » ne sont pas encore arrivées ? demanda-t-elle en plongeant un regard interrogateur dans les ténèbres.

– Non, elles ne sont toujours pas là ! répondit Divina d'un ton coupant.

– Bah alors ! on peut peut-être libérer Papa du fond des toilettes ?

– Non, ça lui fait les pieds, il n'avait qu'à pas me faire attendre pendant dix ans ! Et en plus, je ne veux pas que mes amies le rencontrent.

– Mais tu les attends depuis des plombes. Elles sont drôlement en retard.

– Bien sûr, répliqua-t-elle d'un ton agacé. C'est normal, ce sont des filles exceptionnelles. Et dans *Moderne & Sauvage*, on dit qu'il n'y a que les domestiques qui doivent arriver à l'heure. Plus on est exceptionnel, plus on doit se faire désirer.

– Papa avait dix ans de retard ! remarqua Molly. Il doit être super exceptionnel. Alors, pourquoi tu le laisses croupir au fond des toilettes ?

– Ça suffit, Molly. File ! Et va voir si la girafe continue à cuire comme il faut.

– Si tes copines extraordinaires sont suffisamment en retard, est-ce que je pourrais t'aider à les jeter dans les toilettes et à tirer la chasse ?

– MOLLY !

Était-ce un oui ou un non ? Molly n'était pas sûre, mais elle espérait quand même que cela voulait dire oui. Elle s'exécuta et rentra pour voir où en était la cuisson du repas. En bas, dans la grotte puante, la situation n'avait guère évolué. Urgum tirait comme une bête sur le dentier de combat de Mongoïd. Rien à faire, il ne voulait pas sortir de son bras.

– Oh ! si seulement j'avais un bout de cuillère cassée… gémit-il.

– Mouais, confirma Hunjah en tripotant la sienne. C'est vraiment trop dommage.

– Mais qui est-ce qui m'a fichu deux abrutis pareils ! cria un troisième personnage, dont ni Urgum, ni Hunjah n'entendirent la voix…

Là-haut, dans la Demeure céleste de Sirrhus, on ne riait plus. Les dieux jumeaux n'en pouvaient plus. Ils observaient Urgum en piaffant d'impatience.

– Mais pourquoi diable Urgum n'emprunte-t-il pas sa cuillère à Hunjah ? s'emporta Tangor. Déjà qu'il a presque réussi à se tuer en cavalant autour du Cratère oublié… Il faut maintenant qu'il reste planté là, à se laisser mourir asphyxié au fin fond des latrines !

– Voilà qui va plaire aux autres dieux, geignit Tangal. Ah, ils vont s'étouffer de rire, tu peux en être sûr !

– Tout ça, c'est ta faute ! tonna son frère. Tsss… Tu parles d'une plaisanterie ! Si tu n'étais pas allée traficoter le cours du temps pour faire un bond de dix ans en avant, Divina n'aurait pas eu le temps de commander ces toilettes. Et on n'en serait pas là, MADAME !

— Et comment aurais-je pu imaginer qu'il allait se jeter là-dedans moi, tu peux me le dire, hein, MÔSSIEUR ? se défendit Tangal. Bon allez, ramène-toi. On a intérêt à descendre et à intervenir *fissa* avant que ça dégénère.

Urgum et Hunjah étaient loin de penser qu'ils avaient été rejoints au fin fond de leur trou par deux êtres divins. Et pour cause, ces derniers avaient pris l'apparence de deux puces. Elles sautillaient, côte à côte, sur l'oreille gauche d'Urgum.

— VZZZZZZUrgum, susurra Tangal. Demande à Hunjah de te prêter sa cu…yarglmfff.

Tangor flanqua sa petite patte de puce sur la bouche de sa sœur et la poussa violemment. Ouf ! juste à temps. Urgum, gêné par le petit chatouillis, avait pointé son index vers son oreille pour en sonder l'intérieur.

— Qu'est-ce qui te prend ? demanda Tangal.

— Attends… Ça y est, j'y suis ! lâcha Tangor. Urgum ne peut pas demander cette cuillère cassée ! C'est impossible. Ce serait un appel au secours.

— Mais oui, tu as raison ! s'étrangla Tangal. Imagine, quel déshonneur si le dernier véritable Barbare s'abaissait à quérir de l'aide ! Les autres dieux se ficheraient de nous !

— Alors, qu'est-ce qu'on fait ? interrogea son frère, désemparé.

– Soit il emprunte ce maudit manche, soit… le dernier des véritables Barbares meurt au fond des toilettes – même pas terminées, en plus –, et là, c'est la fin. Plus personne pour croire en nous, et donc plus de dieux non plus. Là, Urgum se radine à notre table et on doit le nourrir jusqu'à la fin des temps.

– On doit le laisser mourir au fond de ce trou, trancha Tangal. C'est de loin l'issue la plus honorable.

– Oui, c'est ça, une issue honorable : dans le trou des waters, marmonna Tangor d'un ton sarcastique. Tu sais quoi, sœurette, cette plaisanterie que tu as faite à Urgum, franchement, je ne voudrais pas dire, mais elle sent très mauvais.

Mais voilà, les mots que Tangal avait chuchotés à Urgum n'étaient pas tombés dans l'oreille d'un sourd. Ils étaient même allés bien plus loin qu'auraient pu l'imaginer les dieux. Ils avaient atteint le… cerveau d'Urgum. Le Barbare se tourna alors d'un seul coup vers Hunjah. Les deux puces le suivirent du regard, pétrifiées d'horreur…

– Hunjah, fit Urgum. Je peux t'emprunter ta *coyarglmfff* ?

– Ma quoi ? demanda Hunjah.

– Ta… Coyarglmfff ? Mmm, ça sonne bizarre, hein ? Alors, ta couyargue peut-être… ? Est-ce que tu as une couyargue, par hasard ?

– Bah ! non, répondit Hunjah.

– Bon d'accord, c'est pas grave.

Les dieux lâchèrent un soupir de soulagement.

– ÇA Y EST ! hurla Urgum triomphalement.

Et les dieux soupirèrent à nouveau… de désespoir, cette fois-ci.

– Quoi, « ça y est » ? demanda Hunjah.

– Je viens d'avoir une idée géniale, lança Urgum en pointant du doigt l'ustensile d'Hunjah. Tu as une cuillère cassée…

– Affirmatif.

– … Et moi, j'en ai besoin d'une pour enlever le dentier de combat que Mongoïd a laissé dans mon bras…

– …Tout juste…

Urgum rayonnait.

– … Alors, est-ce que je peux te l'emprunter ?

– Euh…, hésita Hunjah en regardant l'objet de convoitise.

– Je ne veux pas en entendre davantage ! dit Tangor à Tangal, qui avait déjà enfoncé le bout de ses pattes de puce dans ses minuscules oreilles et qui, du coup, n'entendit pas la suite.

– … Non, répondit Hunjah.

– QUOÂ ? vociféra Urgum.

– J'ai dit non.

– Hourra ! s'écrièrent les dieux, ravis. L'honneur d'Urgum est sauf, grâce à Hunjah. Aujourd'hui est un grand jour !

– ET POURQUOI ÇA ? gronda Urgum.

– C'est la mienne, un point c'est tout, répondit Hunjah. Tu n'avais qu'à apporter la tienne.

Urgum se releva et pataugea dans la fange jusqu'à l'endroit où Hunjah était assis, serrant sa cuillère contre sa poitrine.

– Debout ! lui ordonna Urgum.

– Pou… Pourquoi faire ? bégaya Hunjah qui, à peine levé, commença à battre en retraite.

– Parce que je m'en vais t'aplatir comme une crêpe ! rugit Urgum avec férocité. Aussitôt dit… Urgum leva le poing (bigre, il était drôlement gros !) et se mit en garde. Le coup était prêt à partir.

– Tangor, vite ! siffla Tangal. Son bras !

… Et donc… Au moment où Urgum décocha un direct et atteignit sa cible, c'est-à-dire le visage de son adversaire, les dieux, qui étaient accrochés aux articulations de ses doigts, ajoutèrent leur force surhumaine à celle d'Urgum. Et là,

SCRAAAAaaaTCH…

La tête d'Hunjah se décrocha de son cou et Wiiiiiiizzz… s'envola dans les airs pour ChBoïïïïNG… aller s'écraser très loin contre la paroi de la grotte.

Elle fit même « chplotch » en tombant dans les immondices. Ce pauvre Hunjah avait vraiment perdu la tête. Urgum replia son bras et examina son poing. Il en avait envoyé des coups, mais des comme ça, jamais !

– Waouh, Hunjah ! s'exclama-t-il. T'as vu ça, un peu ?

Mais rapidement, il dut se rendre à l'évidence que son compagnon n'était plus vraiment en état de

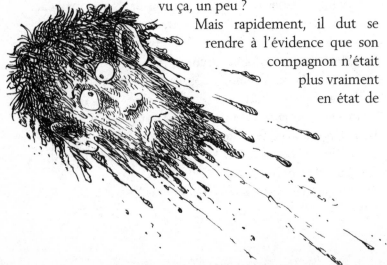

lui répondre. Trop dommage ! C'est vrai, quoi : lorsque l'on cogne avec autant de ferveur, quel bonheur d'avoir un témoin qui ira le raconter à tout le monde, même s'il s'appelle Hunjah…

CLIC...
CHRIK...
PLOC...

Quelques fragments de roche tombèrent de la paroi à l'endroit même où la tête d'Hunjah avait percuté avant de disparaître dans la mare fétide. Attiré par le bruit, Urgum s'approcha. Des morceaux de plus en plus gros se détachaient. Puis, un grondement terrible ébranla les entrailles de la roche, et tout un pan de la grotte s'effondra. Urgum n'en revenait pas. Là, juste devant lui, une large faille venait de s'ouvrir sur la lumineuse promesse d'un ciel étoilé. Humm… Drôlement bienvenu ce petit courant d'air frais dans les narines ! Et, ô miracle, le niveau de l'infâme liquide qui baignait ses pieds commençait à décroître, comme aspiré par la fissure salvatrice.

– Urgum est sauvé ! lança Tangor, enflammé.

– Et son honneur aussi ! se réjouit sa sœur. Et tout ça, grâce à Hunjah !

Mais au fait, où était-il passé celui-là ? Les dieux scrutèrent le fond de la mare. Ils finirent par distinguer les yeux d'Hunjah qui, bien que clos, oscillaient sous leur paupière, à la surface d'une flaque jaunâtre.

– On devrait lui donner une autre chance, suggéra Tangal.

Tangor opina du chef. Il était aussi de cet avis. Et alors qu'Urgum se penchait au bord de la faille pour prendre quelques bouffées d'air sain dont la nuit le gratifiait, d'étranges choses se tramèrent dans son dos. Le corps sans tête d'Hunjah s'agenouilla, se mit à quatre pattes, et commença à se frayer un chemin à tâtons dans la fange. Par chance, ses mains ne tardèrent pas à rencontrer sa pauvre tête. Elles s'en emparèrent, la soulevèrent, et chlurps… la replacèrent dans un bruit sourd et visqueux sur son socle, à savoir : son cou. Un tour par-ci, deux autres par-là et la tête tenait à peu près en place. Les paupières se mirent à cligner, puis à s'ouvrir, et la bouche bâilla.

Urgum, de son côté, respirait toujours à pleins poumons au bord de la faille, quand soudain, il sentit une tape sur son épaule. Il se tourna et vit Hunjah retenant sa tête d'une main et lui tendant la cuillère cassée de l'autre. Une plaie irrégulière d'où dégoulinait un fluide répugnant courait autour de son cou. C'était insoutenable. On aurait pu s'attendre à ce qu'un tel

spectacle inspirerait à Urgum un mélange de stupeur et de dégoût. Mais pour être honnête, après tout ce qui venait de se passer, ça ne lui faisait ni chaud ni froid.

– Qu'est-ce que tu veux maintenant ? demanda-t-il.

– C'était pas la peine de le prendre comme ça. Tiens, je te la prête, ma cuillère cassée. Mais vas-y doucement, d'accord ? Je n'ai pas envie que tu l'abîmes, moi.

Urgum soupira. Il était atterré. En fin de compte, ce n'était pas donné à tout le monde d'être le plus hyper minable de tous les Barbares. Et d'une certaine manière, c'était même plus difficile que d'être le Barbare le plus redoutable de tous les temps.

– Allez, viens Hunjah, fit Urgum. Il faut qu'on te sorte d'ici.

Les deux compagnons s'avancèrent vers l'ouverture

dans la roche. Elle débouchait au beau milieu d'une falaise, à l'arrière du monolithe. Ils jetèrent un coup d'œil en contrebas (Hunjah retenait sa tête pour éviter qu'elle ne glisse) et distinguèrent, à quelques pas seulement, l'un des sentiers qui menait jusqu'à l'entrée. Ils s'extirpèrent à grand-peine de la grotte et se frayèrent un chemin avec une extrême prudence entre les rochers et leurs ombres impressionnantes.

Et les dieux dans tout ça ? Ils étaient en liesse. Ils poussaient des hourras et des bravos de satisfaction devant le succès inespéré de leur mission. Puis, ils se dématérialisèrent pour réapparaître dans la Demeure céleste de Sirrhus. De là, ils commandèrent une pizza divine pour fêter ça. (La divine est un peu plus grosse que la taille d'un continent. Et pourtant, légèrement plus petite qu'un nugget d'aile de moucheron. Ça vous la coupe, hein ? Normal ! C'est surnaturel !)

Loin des odeurs de pizzas, Urgum et Hunjah atteignirent enfin le sentier.

– Ça va, vieux ? demanda Urgum.

– Je crois, répondit Hunjah. Il faut que je me trouve une nouvelle cuillère pour revenir et finir le boulot demain.

– Oh ! t'en fais pas. Ça va comme ça… Allez, file maintenant : il est tard.

– À un de ces jours, alors ? Oh ! pendant que j'y pense : merci de m'avoir sauvé la vie, glissa Hunjah.

– Hein ?

– Bah, tu es bien descendu au fond des toilettes pour me sauver, non ? Ne me dis pas que tu as déjà oublié… C'est pas tout le monde qui risquerait sa vie pour quelqu'un d'aussi minable que moi. T'es un véritable héros.

– Euh… Oui, bon, ça va. Ne dis rien de tout ça à personne, compris ! marmonna Urgum, un peu embarrassé.

– Je ne me voyais pas tenir plus de deux ans au fond de ce trou. Je te dois une fière chandelle.

– Penses-tu, tu ne me dois rien du tout !

– Vraiment ? s'assura Hunjah. Très bien. Bah ! du coup, je t'enverrai quand même la facture pour les travaux, alors ?

– Tu plaisantes ? lâcha Urgum.

– Euh…

– Et puis quoi encore… ? Je te rappelle que si je me suis risqué au fond de ce trou plein de… bahrrh… C'est pour TE sauver la vie. Tu as une dette envers moi !

– Mais, tu as dit que…

– CIAO, CIAO, HUNJAH.

Hunjah s'éloigna d'un pas hésitant. Alors qu'Urgum le regardait s'enfoncer dans la nuit noire, il se fit la réflexion que quelque chose ne tournait pas rond.

« Et tout cet horrible truc qui puait, là, dans la grotte… Où est-ce que ça a bien pu aller ? » se demanda Urgum en regardant à la ronde.

Il y avait bien quelques traces fraîches sur le chemin, mais ce n'était rien comparé à ce qui s'était déversé des toilettes. Cela n'avait quand même pas pu se volatiliser par magie ?

C'était un de ces mystères auxquels il ne trouverait pas de réponse. Dommage, vraiment, parce qu'il mourait d'envie d'en savoir davantage. Sur ce, il se dirigea vers l'entrée du monolithe.

Ces dames s'offusquent

Au moment précis où Urgum avait demandé à Hunjah de lui prêter sa fameuse cuillère, une lente procession s'étirait sur le chemin qui bordait la falaise, et progressait en direction du monolithe. Une équipe d'esclaves bâtis comme des athlètes, tous vêtus du même uniforme vert et or, soutenait un énorme sofa à porteurs, sur lequel se prélassaient trois dames, les plus raffinées de tout le Désert perdu.

Au palais Laplaie, elles représentaient la crème de la crème des Mains-douces. Mais pour l'heure, elles se rendaient chez Divina, où une girafe rôtie et une séance de bavardage plein d'esprit les attendaient.

– Cette pauvre petite sotte de Divina ! ricana Suprema en s'éventant à l'aide d'un cobra au cou gonflé. Elle croit vraiment qu'on fait encore partie du même monde…

– Vous saviez qu'elle lit cette épouvantable feuille de choux… Comment elle s'appelle, déjà… *Moderne & Sauvage* ? persifla Glamoura, qui portait des pattes de

léopard en guise de boucles d'oreilles. Elle ne jure que par ça !

– Quand j'essaye d'imaginer ce qu'elle a bien pu faire de son trou à rats, ça me donne envie de hurler, lâcha Beltasha, dont les yeux étaient couverts de piercings en diamants.

– Et cette espèce d'animal de compagnie, ce singe qu'elle traîne partout avec elle. Tsss… !

– Un animal de compagnie ?

– Mais oui, vous savez. Cette pauvre bête qu'elle habille comme une fille et qu'elle appelle Molly !

Le sofa à porteurs tanguait mollement et craquait sur les épaules des esclaves, tandis que ces dames pouffaient de leurs rires suraigus, quand une rumeur sourde s'échappa de la falaise. Suprema, Glamoura et Beltasha étaient trop détachées de tout pour accorder de l'importance à une chose aussi insignifiante. Cependant, l'esclave qui menait le convoi avait bien entendu, lui. Et il leva les yeux. Ses compagnons l'imitèrent. Là, tous virent qu'une nappe de boue puante était sur le point de s'abattre sur eux.

Les esclaves savaient qu'il était de leur devoir de sauver coûte que coûte leurs bien-aimées maîtresses. Dussent-ils faillir à leur mission, un sort terrible les attendait. On les fouetterait sans vergogne à coup de chaînes chauffées à blanc. Ils n'avaient pas le choix : il leur fallait agir. Et vite. Alors, ni une, ni deux, les esclaves lâchèrent le sofa à porteurs, qui s'écrasa par terre, et plongèrent tête baissée sur leurs maîtresses pour les protéger. Mais la masse boueuse et verdâtre les avait devancés, et fondit sur les brushings de ces dames.

Elle n'épargna aucune mèche de leur chevelure, aspergea leur visage, leur cou et leurs bras, glissa le long de leurs délicates petites chevilles pour aller s'introduire jusque dans leurs chaussures en corne de rhinocéros.

Il y eut un silence de mort. Puis, pile au même instant, elles poussèrent un cri perçant sur un accord à trois voix.

Lorsque la dernière goutte tomba de la falaise, les esclaves se rapprochèrent du sinistre en se pinçant le nez. Un traitement de choc s'imposait. Alors, ils soulevèrent le sofa à porteurs, et le hissèrent sur leurs épaules. Sans attendre les ordres, ils firent demi-tour et foncèrent au pas de charge vers le sparfumarium du palais Laplaie, car leurs maîtresses avaient besoin d'une bonne cure. Un autre traitement serait réservé aux esclaves. La morsure des chaînes chauffées à blanc. Mais nom d'un petit bonhomme, cette fois-ci, ça le valait bien !

Urgum se prépare à dîner

Il commençait à être tard, et Divina n'avait pas bougé d'un pouce. Elle faisait toujours le guet sur le seuil de sa caverne. Derrière elle, Molly tentait d'éloigner à coups de jets de pierre les chauves-souris attirées par une torche suspendue à la paroi. Au-delà du rond de clarté qu'elle projetait au sol, le bassin semblait drapé d'un sombre linceul.

– Si ça s'trouve, elles ont eu un accident, tes copines, suggéra Molly. Ou p't'être qu'elles ont oublié.

– Va voir à la cuisine où en est le rôti ! fit Divina d'un ton amer.

– Pfff… Encore ? Mais à quoi ça sert ? Tu sais très bien qu'elles ne viendront plus. Et puis, pourquoi Papa n'en aurait pas lui, de la girafe ?

– Quoi !? Après les horreurs qu'il a dites à propos de notre si jolie petite chambre ? Qu'il aille au diable. Ah… il veut vivre comme un sauvage ! Eh bien, qu'il se débrouille pour l'attraper tout seul et la manger crue, sa viande.

– Mais comment il peut faire pour l'attraper sa viande s'il est coincé dans les toilettes ? demanda Molly. On pourrait au moins essayer de le faire sortir de là…

– Chuuut ! l'interrompit sa mère, en tentant de percer les ténèbres de son regard. Écoute ! Qu'est-ce que c'est ?

Une sourde rumeur parvint aux oreilles de Divina. Elle semblait venir de l'entrée du monolithe.

– On dirait qu'Olk a laissé passer quelqu'un, avança Molly en reniflant l'air suspicieusement.

– Ce sont mes invitées, pardi ! s'écria Divina dans un élan d'excitation.

– Eh pah, dis donc, qu'est-ce qu'elles sentent bauvais ! nasilla Molly en se pinçant le nez.

– Que vas-tu chercher là ! rétorqua Divina. Elles se sont parfumées, voilà tout. Divina huma l'air et tomba à la renverse, en se tenant le ventre.

– Je t'avais prévenue : ces copines sentent vraiment très mauvais, gloussa Molly.

– Qué… Qu'… Qu'est-ce que c'est que cette horreur ? Ce ne sont pas mes invitées ! Il faut me débarrasser de ça tout de suite !

– Je m'en occupe. Tu vas voir le travail ! brailla Molly, animée d'une soudaine témérité.

– Pas question ! Quel genre de mère laisserait sa petite fille sans défense faire le tour du bassin de Golglouta par une nuit sans étoiles ?

– Je n'ai pas le droit de sortir ?

– Je veux dire que tu pourrais faire de mauvaises rencontres. Tomber sur une bête sauvage, par exemple !

Alors Divina tendit à Molly un énorme gourdin hérissé de pointes :

– Tiens, prends ça, et tâche de nous ramener quelque chose pour le petit déjeuner.

– Waouh, super ! lâcha la fillette, aux anges.

Elle se mit en route, bien décidée à s'aventurer autour du bassin malgré l'obscurité. Elle faisait tournoyer le gourdin dans les airs, espérant frapper quelque chose.

Tout à coup, Molly entendit des bruits de pas.

Là-bas, dans les rochers, une forme se traînait. Elle se risqua dans cette direction. Et l'odeur lui sauta au nez. « Avec un peu de chance, c'est un putois à dents de sabre », songea-t-elle. Si l'on avait envie d'une bonne bagarre, on pouvait toujours compter sur lui. Une vraie partie de plaisir ! Bien que, de toutes les créatures du Désert perdu, aucune ne puait autant. Mais, en fait, cette chose là-bas qui empestait puait bien plus que ne l'eût pu le plus puant des sconses-à-dents-de-sabre.

— Bien sûr, que tu peux rester ici !

C'était la voix de Mongoïd, là-bas, dans le noir. Molly vit sortir l'Ostrogoïde de chez lui, une torche à la main et une cuillère cassée dans l'autre. Urgum était assis sur son perron. Mongoïd vint le rejoindre et commença à essayer de débloquer le dentier de combat, dont les crocs étaient toujours enfoncés dans le bras du Barbare.

— Merci, mon vieux, j'ai juste besoin de m'étendre un peu, souffla-t-il en remuant ses doigts, alors que la grande mâchoire desserrait peu à peu son étreinte. Tu sais comment ça se passe, quand on est à la chasse ! Ça fait des mois que je n'ai pas dormi.

— Euh, oui. Si je te dis que tu peux rester ici, c'est… Enfin, comment t'expliquer… C'est juste que…

— C'est juste que quoi ?

— Comment dire, euh…, hésita Mongoïd, prudent.

Heureusement, les renforts ne tardèrent pas à arriver, et un cri retentit dans la grotte voisine :

– Ça pue ! Pouah ! au secours, c'est à vous faire remonter les tripes, à vous filer la courante, à faire vomir un vautour, à…

Mongoïd jeta un coup d'œil alentour et passa instinctivement ses doigts gros comme des bananes sur les trois cheveux qui lui tenaient toujours lieu de chevelure.

– Merci Grizelda ! cria-t-il en retour.

Puis se retournant vers Urgum :

– Oui, c'est ça. Je n'aurais pas su mieux m'exprimer. Elle a le sens de la formule, tu ne trouves pas ?

– Depuis quand tu fais des manières pour un bouquet d'effluves un peu corsé, mon cochon ? demanda Urgum.

– Mais, ce n'est pas moi que ça dérange ! C'est juste que ces derniers jours, si l'occasion se présente… Enfin, si j'ai de la chance… Euh… Il peut m'arriver d'avoir un peu de visite.

Urgum loucha en direction de la grotte de Grizelda. Un éclair de malice glissa sur son visage.

– Ne serais-tu pas en train d'insinuer que j'ai besoin d'un bain, par hasard ?

Mongoïd se pencha précipitamment au-dessus du bras d'Urgum pour se concentrer à nouveau sur son ouvrage. Il se garda bien de répondre par l'affirmative, d'autant qu'il n'avait pas récupéré ses crocs pour se défendre. Et après tout, Divina était la seule personne qui eût jamais réussi l'exploit de faire prendre un bain à Urgum, et qui fût toujours là pour en témoigner.

– Je répète : ne serais-tu pas en train d'insinuer que j'ai besoin d'un bain, par hasard ?

CHDOïïNG !

Ouf ! les crocs étaient enfin sortis. En un éclair, Mongoïd les plaça dans sa bouche et se releva. Il claqua des mâchoires deux ou trois fois pour ajuster le dentier. Voilà, il était fin prêt à combattre. Il prit son élan et s'élança vers une petite mare, au centre de laquelle se trouvait un amas de rochers.

– Jusqu'à la mort ! aboya Urgum en se dressant d'un bond.

– Chucha la mort ! reprit Mongoïd (visiblement, son dentier lui donnait du fil à retordre !). Tu es chûr que tu veux te bacre ? Et ta hache ? Tu ne veux pas aller la chercher plu-ôt ?

– Hors de question, je ne retourne pas dans ma grotte, déclara Urgum. Je vais faire semblant. On dira que je l'ai quand même. Regarde, vvvoum, vvvoum, schlaaac ! Bon, alors, vas-y… Tu m'attaques, là ?

– Mais, chiche fais cha, tu vas ffffinir en chair à chauchiche… Et… Et… Cha va t'achever… shuiiiirpss, bava Mongoïd.

Abattu, Urgum soupira :

– Ce n'est peut-être pas plus mal en fin de compte. De toute façon, je ne suis plus à ma place, ici. Tu savais, toi, qu'il y avait un l'vingue dans notre grotte et des coussins ? C'est devenu un drôle d'endroit où les filles font la loi. Bah ! ça me rend malade. Mais je ne veux pas m'imposer chez toi, mon vieil ami, ni te casser la baraque avec les filles. Je crois que j'ai tout essayé. Je ne connais plus qu'un endroit au monde où l'on acceptera un vieux sauvage comme moi.

Urgum leva les yeux vers le sombre firmament où quelques étoiles étincelaient, tandis que toutes les autres étaient plantées là, à côté, avec l'air de s'ennuyer à mourir. Le front relevé, Urgum bomba le torse en se frappant la poitrine.

« Tangor ! Tangal ! », cria-t-il suffisamment fort pour que sa voix parvienne dans l'au-delà. « Ô jumeaux immortels, je vous conjure d'accueillir Urgum, votre serviteur, dans la Demeure céleste de Sirrhus. Tout au long de mon existence, j'ai vécu pour vous servir et le temps est venu pour moi de siéger à la droite de l'un d'entre vous, et à la gauche de l'autre, et de m'enivrer de nectar divin pour l'éternité.

Urgum avait mal choisi son moment. Car, dans la Demeure céleste de Sirrhus, les dieux barbares se reposaient de la fatigue causée par leur séjour au fin fond du conduit des toilettes. Tangor, bien calé contre le dossier de son trône de marbre blanc, avait étendu ses pieds sur le bord de la table pour faire une petite sieste. À l'autre bout, Tangal se lavait les cheveux dans une grande bassine d'eau. Une boîte de pizza était posée au milieu de la table, et le sol, jonché de croûtes, de miettes et de bouts d'anchois.

Tangal tendait la main pour attraper une serviette, lorsqu'elle intercepta la fin du monologue d'Urgum. Et là, ce fut la panique.

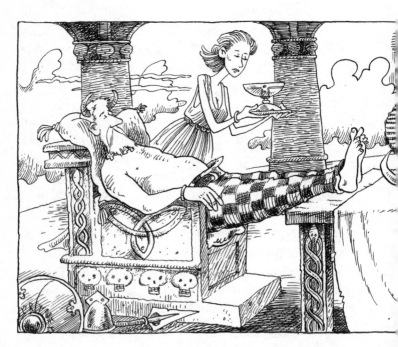

– Debout Tangor ! hurla-t-elle. Urgum s'apprête à mourir et à débarquer ici !

– Mmm ? marmonna Tangor en se frottant les yeux. Ce n'est pas vrai ? Il ne peut pas se tuer encore une fois. On vient de le sauver, tu me fais marcher…

– Oh, pour l'amour des dieux, Tangor ! Ce n'est pas une blague, insista-t-elle. Il a vraiment dit qu'il se mettait en route et qu'il serait bientôt ici pour festoyer à notre table jusqu'à la fin des temps. Il a même dit où il allait

s'asseoir : entre toi et moi, figure-toi ! Vite, il faut trouver un troisième siège quelque part. Mais avant toute chose, finissons de faire la vaisselle.

– Ce n'est pas mon tour !

– Et quand tu auras terminé, débarrasse-moi de cette boîte de pizza et file chercher deux jars de nectar. Il veut la cuvée des dieux, ne prends pas cette piquette à deux sous qui a un goût de navet !

– Oh non ! il a l'air encore plus tatillon que ne l'était son père… Et pourquoi un tel branle-bas de combat pour Urgum ?

– Mais tu sais très bien pourquoi ! lâcha-t-elle en se frottant furieusement la tête avec sa serviette. Parce que nous sommes des dieux, et que c'est ce qu'il attend de nous. Dois-je te rappeller que, sans lui, nous n'existerions pas ? Allez, dépêche-toi, à la vaisselle ! Et la boîte à pizza, là, à la poubelle ! Ah, et le nectar ! Et puis mets tes nouvelles sandales, celles-ci sont couvertes de… beurk… Et surtout, n'oublie pas le siège !

– Et toi, tu ne fais rien ?

– Si, je me sèche les cheveux. Allez, remue-toi !

Pendant ce temps, sur la terre ferme, Molly en avait assez vu. Tandis qu'Urgum se préparait à mourir déchiqueté par le terrible dentier de combat de Mongoïd, elle accourut :

– Papa ! Qu'est-ce que tu fais ?

– Je suis en train de me battre à mort avec Mongoïd, lui répondit-il.

– D'accord, mais défends-toi au moins avec ça, cria Molly en lui lançant le gourdin que Divina lui avait donné.

Urgum l'attrapa et se tourna vers Mongoïd en poussant un grondement féroce. Mais au moment de frapper, il laissa tomber son bras sur le côté. Puis, il jeta son arme en haussant les épaules.

– Merci Molly, mais je ne me sens pas le cœur de me défendre. Alors, adieu et prends soin de ta mère, c'est une brave femme.

– Tu ne peux pas mourir. Tu es Urgum-le-Terrible, une légende ! Et tu es censé vivre éternellement.

– Mais Molly, répondit Urgum d'un air las. Tout le monde le dit... Les choses changent !

– Hé, Urgum, glissa Mongoïd. Tu es vwaiment chûr de cha ?

Mongoïd avait très envie de tester son dentier de combat, mais pas sur son meilleur ami : il n'était pas armé. Et ça, vraiment, ça ne se faisait pas.

– Si tu es mon ami, bats-toi. Vas-y, et le plus sauvagement possible. Ô, viens sur moi effroyable trépas, offre-moi une étreinte digne du plus grand Barbare que le Désert perdu ait jamais connu. Plante tes crocs dans ma chair !

– Mais, che viens chuste de te lech enlever !

– Alors, c'est qu'il est temps de les remettre, n'est-ce pas ?

Urgum se pencha et tourna son séant face à Mongoïd.

– Je vais nous faciliter la tâche à tous les deux, dit-il. Tiens, commence par ici, à l'endroit où le coussin m'a embrassé, je le sens encore. Beurk ! Il faut combattre le mal par le mal.

C'en était trop pour Molly. Elle s'élança vers Urgum, et pressa ses mains sur sa figure burinée.

– PAPA, NON ! s'égosilla-t-elle.

Urgum la regarda tristement. Elle dévisagea ce père qui lui avait tant manqué, avant qu'il ne finisse haché menu par le dentier de Mongoïd et meure dans d'atroces souffrances. Est-ce qu'elle pleurait ? Non. Est-ce qu'elle tremblait ? Non. Soudain, elle leva son poing sur le côté et lui décocha un uppercut en pleine mâchoire.

CHTONCK !

– Waouh ! lâcha Urgum, impressionné. Aïe ! Mais qu'est-ce que j'ai fait ?

– J'ai attendu dix ans que mon père, ce courageux sauvage, rentre pour m'apprendre à devenir moi aussi une Barbare. Maintenant qu'il est là, il décide qu'il préfère mourir en se faisant déchiqueter les fesses ? COMMENT PEUX-TU ÊTRE AUSSI ÉGOÏSTE ?

– Bon alors tchu veux que chle tchu, oui ou non ? demanda Mongoïd, qui ne savait plus trop où il en était.

– Essaye un peu pour voir, et tu seras le prochain à tâter de mon poing !

– Ne te laisse pas impressionner, ordonna Urgum à Mongoïd. Vas-y, tue-moi, là, tout de suite. Dévore-moi, je te dis.

Un « squip » puis un « plop » se firent entendre. Mongoïd venait de décrocher son dentier de combat et le sortit de sa bouche. Il alla ensuite s'asseoir sur les marches qui menaient à sa grotte. Il était profondément soulagé. Molly venait de lui donner une bonne raison de ne pas mordre à pleines dents dans les fesses de son père jusqu'à ce que mort s'ensuive !

– Merci Mongoïd, fit Molly. Allez, viens, Papa.

Et elle attrapa la main de son père.

– Où allons-nous ? questionna Urgum en traînant des pieds.

– À la maison.

Ils étaient presque arrivés lorsque Urgum s'arrêta net : Divina se tenait toujours dans le halo de lumière que projetait la torche sur le sol, devant la grotte. Elle s'efforçait tant bien que mal de garder son calme.

– Ce n'est pas ma maison, se plaignit Urgum. Ma maison n'a ni de l'vingue, ni de toâletteuh.

– M'man, cria Molly. J'ai retrouvé Papa !

– Pouah ! J'avais remarqué. Qu'est-ce qu'il fabrique ici ? Je croyais qu'il était au fond des toilettes…

– Il est fatigué et il a faim. Laisse-le entrer, supplia Molly.

– Mais peut-être qu'il n'a pas envie de revenir, dit Divina. Il n'apprécie pas ma nouvelle déco et il a été très clair à ce propos. Alors, s'il veut vivre comme un sauvage, grand bien lui fasse !

– Tu vois bien Molly, se lamenta Urgum. Ce n'est pas chez moi. Tous ces coussins, ces soieries, ces l'vingues… Ta maman a travaillé dur pour arranger cet endroit. Elle n'a pas besoin d'un sauvage qui sent mauvais. Ça gâcherait tout. Tout ce luxe… Ma place n'est plus ici.

– Mais si ! insista Molly.

– Non, et puis, elle attend ses copines de la haute. Je ne veux pas la mettre mal à l'aise.

– Allez, dis quelque chose, M'man.

– Lui dire quoi ?

– Que tes copines « prout-prout » ne viendront plus, maintenant. Tu le sais très bien, il fait nuit noire.

Divina tourna les talons. Mais Molly n'en avait pas terminé.

– Et que tes amis sont des gens insupportables et ennuyeux. Et qu'au fond, tu préférerais rester avec lui. Allez, il attend !

– Je ne dirai pas un mot, se ferma Divina. Il ne mérite pas que je lui parle. Regarde un peu dans quel état il s'est mis : il baigne dans la crasse.

– Je repars chez Mongoïd, soupira Urgum. Au moins, j'aurai essayé.

– Non, tu n'as rien essayé du tout ! s'emporta Molly. D'ailleurs, aucun de vous deux n'a essayé. C'est DÉBILE. On pourrait former une belle et grande famille. Mais, non, ce n'est pas possible. Et pourquoi ? À cause d'une misérable histoire de crasse.

Il y eut un silence embarrassé. Urgum baissa les yeux, tandis que Divina traduisait son malaise en tortillant des pieds.

La poitrine de Molly se souleva. Elle poussa un gros soupir, comme pour se soulager d'un pénible sentiment de frustration, puis s'adressa en hurlant à Mongoïd, qui, de loin, avait assisté à toute la scène :

– Mongoïd, apporte-nous de l'eau.

Celui-ci sentait que ce n'était pas une bonne idée ; en même temps, il était trop loin pour comprendre exactement ce qui était en train de se passer. Ça faisait un bout de temps qu'il n'avait pas été témoin d'une de ces bonnes disputes dont Urgum et Divina avaient le secret, et il ne voulait manquer ça pour rien au monde. Alors, ni une, ni deux, il remplit d'eau la coquille d'un bénitier à ras bord et la porta à Molly.

– Papa, à toi de jouer.

– Quoi ? marmonna Urgum en jetant un regard noir à la coquille.

– Fais ta toilette !

Il y eut un silence de mort. Car comme chacun savait, Divina était la seule personne qui eût jamais réussi l'exploit de faire prendre un bain à Urgum et qui fût toujours là pour en témoigner. Et ce n'était pas rien. En effet, le seul fait d'imaginer Urgum dans son bain était si répugnante que quiconque en entendait parler avait automatiquement envie de vomir.

– Bon, alors ? s'impatienta Molly qui en avait plus qu'assez de tous ces silences. Ce n'est pas un peu d'eau qui va effrayer mon père, ce courageux sauvage, quand même ! En tout cas, moi, je n'ai pas peur.

Molly pencha la tête au-dessus du coquillage et s'aspergea le visage d'eau.

– Tu vois, ce n'est pas *si* compliqué.

Molly se releva et fit signe à Urgum de s'avancer vers le coquillage.

– Allez, vas-y, ordonna-t-elle. C'est ton tour. Pour l'amour de Maman…

Urgum s'approcha de Mongoïd qui lui tenait le coquillage, à portée de main. Mongoïd se demandait ce qui allait bien pouvoir se passer. Urgum était capable d'envoyer voler le coquillage, ou de lui fracasser le crâne avec… L'Ostrogoïde ferma les yeux et rassembla tout ce qu'il avait de courage pour affronter le pire.

Splitch, Splotch, Splloutch

Lorsqu'il les rouvrit que vit-il ? Urgum, trempant juste le bout des doigts dans l'eau. Il s'attendait à tout, sauf à ça… !

– Je parie qu'il va s'arrêter là, fit Divina sur un ton méprisant. C'est sûr et certain.

Urgum la regarda droit dans les yeux, puis pressa ses deux index contre ses joues et commença à frotter un peu.

Mongoïd était au bord de l'apoplexie :

– Quoi, tu… Tu… Tu te laves ?

– Tu l'as dit, bouffi. Bah, tu vois, lança Urgum, les choses changent !

Divina s'élança vers lui et lui jeta les bras autour du cou.

– Oh ! Urgum, alors toi, pas de doute, tu sais y faire avec les femmes, le complimenta-t-elle avant de l'embrasser sur le nez.

À peine eut-il le temps de prendre la mesure de son acte, que Molly et Divina le traînaient déjà à l'intérieur de la grotte.

– Mon pauvre chéri, tu dois mourir de faim. Allez rentre, et desserre ta ceinture.

– Robbin a préparé un peu de sauce à l'orange, ajouta Molly. Tu vas adorer.

– Des oranges ? remarqua Urgum, complètement déconcerté. On parle bien des oranges, ces fruits qui poussent sur les arbres ? Tu veux dire que vous les avez fait cuire ? Ça n'a pas un goût de bois ?

– Mais non, gloussa Molly. Tu vas te régaler, c'est sûr !

Alors que, joyeux, ils disparaissaient, Mongoïd resta

seul à l'extérieur, serrant le coquillage dans sa main. Il lâcha un soupir et se mit en route vers sa grande caverne toute vide. Il n'entendait déjà plus un mot de leur conversation.

– Maman, comme tes invitées ne viennent pas, est-ce que je peux proposer à un ami de venir prendre un verre ? demanda Molly.

– Pourquoi pas, répondit-elle. Mais qui est-ce ?

Sans attendre, Molly rebroussa chemin.

– MONGOÏD ! cria-t-elle en direction des douves.

L'horrible grand Barbare s'immobilisa et tourna la tête, plein d'espoir.

– Hé, ne reste pas planté là, entre donc !

Mauvais rêve

Et après un dîner gargantuesque dégoulinant de sauce à l'orange à vous faire éclater la panse, voilà ce qui arriva :

– Je n'ai pas très envie d'aller me coucher, bâilla Urgum. Je n'ai pas sommeil.

– Tiens, tiens… Cela aurait-il quelque chose à voir avec la chambre, par hasard ? glissa Divina.

– Ça va me rendre malade, j'en suis certain ! se plaignit Urgum. J'ai peur de faire des cauchemars. Du genre où je gambade au milieu d'un champ de fleurs avec des rubans collés dans les cheveux !

– T'inquiète, j'y ai pensé ! intervint Molly. Viens avec moi, Papa. J'ai fait quelques petits changements. Je crois que ça va te plaire.

Molly entraîna Urgum dans le couloir, et le poussa sous le porche de sa chambre.

La flamme de la torche jetait des ombres vacillantes sur les murs de la grotte. Interdit, Urgum clignait des yeux. Des tentures de soie chatoyantes tombaient toujours en cascades du plafond jusqu'au sol, lequel était toujours capitonné de coussins multicolores festonnés de pompons. La table de marbre blanc croulait toujours sous une multitude de boîtes de fards et d'onguents. Les robes et châles se disputaient toujours les portants sur les murs. Les coins étaient toujours aussi encombrés par des urnes colossales d'où jaillissaient des fleurs. Urgum était à deux doigts de vomir, quand soudain, il saisit ce que Molly avait arrangé.

– Alors Papa, qu'est-ce que tu en penses ? demanda Molly à son père, dont le visage buriné se fendit d'un large sourire.

– C'est toi qui as fait ça ? s'enquit-il.

Molly hocha la tête :

– Oui, j'en mourais d'envie. Et ça, dès que je l'ai vu.

– Mais, tu es une petite fille, pourtant ! s'exclama-t-il.

– Oui, mais pas n'importe quelle petite fille, dit-elle avec malice. Je suis la petite fille d'Urgum-le-Terrible !

– Eh, tu sais quoi ? fit-il en souriant. Je commence à le croire !

Puis doucement, ses yeux se fermèrent. Éprouvé par tant d'émotions, le guerrier consentit à s'accorder un repos bien mérité. Il se laissa tomber en arrière pour

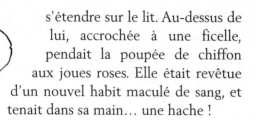

s'étendre sur le lit. Au-dessus de lui, accrochée à une ficelle, pendait la poupée de chiffon aux joues roses. Elle était revêtue d'un nouvel habit maculé de sang, et tenait dans sa main... une hache !

Là-haut, très haut, dans la Demeure de Sirrhus, Tangor et Tangal s'affairaient, le souffle court. La salle était briquée du sol au plafond. Ils avaient emprunté un siège. Le nectar divin chauffait dans un chaudron. La table avait été débarrassée, et les sandales de Tangor étaient aussi propres que la chevelure de sa sœur.

– Bon, alors, il arrive à la fin ?

– Il devrait être ici d'une minute à l'autre. Il aurait pu nous prévenir un peu à l'avance...

– Attends... lâcha Tangor sur un ton suspicieux. Mais qu'est-ce que c'est que ce bruit ?

Cela venait d'en bas, de la Terre ferme, et plus précisément de la chambre remplie de fleurs : un étrange grondement...

– Non ! C'est Urgum ! s'exclama Tangor. Et il ronfle !

– Mais quel toupet ! lança Tangal d'un ton courroucé. Et moi qui pensais qu'il était en train de mourir...

Urgum n'était pas mort ; néanmoins, il resta neuf jours à l'horizontale. En général, les Barbares travaillent comme des brutes, jouent comme des brutes, et quand ils rentrent enfin à la maison, ils dorment comme des brutes, et longtemps.

Comme quoi, certaines choses, elles, ne changent pas !

TROISIÈME PARTIE

QUI A LAISSÉ DES TRACES DANS LE JARDIN ?

Poigne de fer et Main-douce, deuxième round

Quand Urgum se réveilla enfin, vit sa nouvelle chambre à coucher et s'aperçut que tout ceci n'était pas un rêve, il poussa un grand cri.

Ce genre de cri :

– AₐAₐAₐAₐAAaAaAₐAaAaAₐAaAaAн !

En entendant ce raffut, Molly s'empressa de le rejoindre. Lorsqu'elle fut devant lui, il la regarda et comprit qu'elle non plus n'était pas un rêve. Alors, il poussa un autre cri.

Ce genre de cri :

– AₐAₐAₐAₐAAaAaAₐAaAaAₐAaAaAн !

Il bondit hors du lit à baldaquin, avec la ferme intention de tailler en pièces tout ce qui se trouvait sur son passage. Seulement voilà, il ne vit pas sa hache qui traînait par terre et marcha dessus : il se fendit le gros orteil dans le sens de la longueur, et poussa un cri de douleur strident.

Ce genre de cri :

– AₐAₐAₐAₐAAaAaAₐAaAaAₐAaAaAн !

Il s'assit et se mit à sucer son doigt meurtri, ce qui, fort heureusement, empêcha tout nouveau cri de sortir.

– Bon, tu as *bientôt* fini, là ? s'impatienta Molly. Parce que si c'est le cas, j'ai un secret à te montrer.

Un secret ? Ça tombait bien : Urgum adorait ça. Il était si enthousiaste qu'il changea d'avis et renonça à tout casser. Mais, chut, c'était un secret ! Il avança en clopinant jusqu'à la chambre de Molly, et la regarda rouler le tapis en moumoute rose sur le sol. Il dissimulait un petit trou. Molly passa la main à l'intérieur et en sortit un morceau de velours qui enveloppait quelque chose. Elle le déplia devant son père.

– Est-ce que c'est… de l'argent ? demanda Urgum.

– Bien sûr, répondit Divina qui, en se penchant au-dessus de son épaule, le fit sursauter. Ce sont de vrais tannas de bronze. Elle les a gagnés en fabriquant des colliers et des bracelets de fleurs. Elle est futée, cette petite, pas vrai ?

Urgum fixa la pile de disques de bronze et s'efforça d'avoir l'air étonné :

– Alors, explique-moi. Tu passes des jours à cultiver tes fleurs, et après tu les ramasses, tu en fais des colliers et d'autres choses. Et *là*, tu t'assois et tu attends que quelqu'un passe par là pour te donner des pièces de monnaie en échange ?

– C'est ça, acquiesça Molly.

– Mais pourquoi ? s'interrogea Urgum.

– Parce que c'est de l'argent, rétorqua Divina. Et que l'on peut acheter beaucoup de choses avec.

– Qu'est-ce que tu vas acheter alors ?

– Ah, ah…, sourit Molly. C'est un secret !

– Oh ! bougonna Urgum. Tu m'as montré ton secret, soit. Mais tout cela est trop mystérieux pour moi. C'est un machin effroyable et sournois, cet argent. Ça me dégoûte.

Sur ce, il sortit de la chambre clopin-clopant pour s'engouffrer dans le couloir.

Molly, contrariée, eut envie de protester. Cependant, elle se ravisa lorsque sa mère lui fit non de la tête. Elle comprit que cela ne servirait à rien. La fillette rangea donc soigneusement ses pièces dans leur cachette, puis sortit une pelle et tria quelques graines. Ça lui était bien égal ce que pensait son vieux grognon de père. Elle aimait bien faire pousser ses fleurs. Et ça la rendait tellement fière lorsqu'elle parvenait à vendre un collier !

C'est ce qui comptait, après tout. Et tant pis si elle ne savait pas vraiment quoi faire de cet argent.

Divina se tenait debout, immobile sur le pas de la porte. Elle regardait sa fille, quand soudain, elle se rappela sa première rencontre avec Urgum. Cela faisait longtemps, mais elle s'en souvenait très bien. Il avait *exposé* son point de vue sur l'argent de manière... très explicite.

Souvenez-vous. Urgum avait réduit en bouillie une demi-douzaine d'esclaves armés jusqu'aux dents à l'aide d'un manche de hache. Et dans la seconde qui avait suivi, Divina l'avait traité de « pauvre petite chose ». Elle blaguait, bien sûr. Mais avant même que l'expression fût parvenue aux oreilles d'Urgum, elle l'avait regrettée. C'était pourtant le type de plaisanterie qui aurait fait son effet s'ils s'étaient tous retrouvés à discuter autour d'une table pour le thé. Seulement, Divina se rendit compte que, dans la vie, quand les gens en étaient réduits à combattre pour survivre, ce genre de remarques perfides appuyaient surtout là où ça faisait mal et ne faisaient rire personne.

Elle se redressa et, droite comme un i, se prépara à la mort horrible que lui réserverait le sauvage qu'elle venait d'outrager. « Eh bien, se dit-elle, essayons d'affronter ce moment avec un peu de dignité. » Elle demeurait là, bouche cousue, les mâchoires serrées, les yeux dardés sur lui, prête au pire.

Or, à sa grande surprise, le sauvage ne cilla pas. Il était sidéré par son regard. Ce qui, au fond, n'était pas pour déplaire à Divina. Ça la rendit même euphorique. Enfin, l'aurait rendu euphorique si son père n'avait pas été là, à gesticuler à côté d'elle, en marmonnant sous cape des menaces qui restaient sans effet... Ah, vraiment, quel courage !

Et là, elle se dit que si elle devait entendre encore une fois la phrase : « Ce crétin des alpages, sait-il seulement à qui il a affaire ? », c'est elle qui irait se jeter sur la première lame qu'elle trouverait. Aussi décida-t-elle de se lever et de faire quelque chose d'utile avant d'être tuée.

Gisant au sol, les esclaves meurtris gémissaient de plus en plus fort. Alors, Divina s'empara d'une cruche pour leur distribuer de l'eau. Son père, indigné, glapissait :

– Ha ! Il ne manquait plus que ça : trahi par ma propre fille… Ah… L'ingrate ! S'abaisser à servir un ramassis d'esclaves, de bons à rien. Quel déshonneur !

Divina se fichait bien de ces fadaises. Les occasions où une jeune Main-douce pouvait faire preuve d'une franche bonté à l'égard de son prochain étaient trop rares. Et Divina était ravie d'apporter un peu de réconfort à ces pauvres âmes avant de rendre la sienne. Elle s'agenouilla auprès d'un des esclaves pour essuyer le sang qui coulait de sa bouche éclatée. Ce faisant, elle jeta un coup d'œil à la dérobée au sauvage. Il se tenait derrière elle sans bouger. Il la regardait, débordant d'admiration. Et sans qu'elle en sache la raison, elle eut des frissons. Elle aurait voulu que cet instant ne s'arrête jamais. Naturellement, c'est là que son gros balourd de père intervint pour tout gâcher :

– Hé, toi, le sauvage ! lança Gastan sur un ton condescendant.

Il sortit quelques pièces étincelantes d'une petite bourse, qu'il tendit à Urgum :

– Tiens, ce sont des tannas d'or. Rien de tout ce que tu as pu voir dans ta vie n'a plus de valeur que ça. Alors, prends-les et fiche le camp.

Divina se serait fait une joie d'occire son père, que pourtant, elle adorait. C'était une situation embarrassante, et elle se dit qu'elle préférerait être à ses funérailles plutôt que d'avoir à le supporter vivant. Le Barbare détourna doucement son regard de la fille et s'avança à grandes enjambées vers Gastan, à qui il arracha le sac de pièces des mains.

Le vieillard s'en étrangla. Il était scandalisé.

– Qu'est-ce que tu fais, malheureux ? Je t'ai déjà offert plus de pièces que tu ne pourrais en dépenser toute ta vie !

Divina tremblait, mais pas de peur. Elle était folle de rage, et terriblement gênée. Elle serrait les poings pour essayer de se contrôler et ses ongles s'enfoncèrent dans ses paumes. « Mais bon Dieu, boucle-la, Papa ! se disait-elle en son for intérieur. Boucle-la, boucle-la. S'il te plaît, boucle ton fichu clapet, et garde-le bien bouclé ! »

Mais Gastan ne reçut pas le message. Le Barbare lui faisait face, tenant le sac de pièces à hauteur de son visage et tapotant dessus avec son doigt.

– Oh ! Très bien. Allez, va, prends tout ! lâcha Gastan avec une moue boudeuse.

Puis, d'un signe de la main, il le congédia comme s'il s'adressait à un domestique. D'un ton vaguement triomphant, il cria en direction de Divina :

– Tu vois, ces gens ont beau penser qu'ils sont formidables, on peut quand même les acheter.

Et ce fut la dernière phrase que Gastan prononça avant de se taire pour un bon moment. Car le Barbare l'attrapa par la nuque et lui fourra la totalité du sac de pièces au fin fond de la bouche. C'était la chose la plus épatante que Divina ait jamais vue de sa vie.

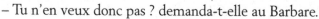

– Tu n'en veux donc pas ? demanda-t-elle au Barbare.

– NON !

gronda-t-il, avant de siffler son cheval, qui patientait en broutant un peu d'herbe à quelques mètres de là. Lequel releva la tête pour montrer qu'il avait très bien entendu, puis se remit à brouter pour signifier son indifférence la plus totale.

— Mais c'est de l'argent ! s'exclama Divina. Tu devrais le garder. Ça lui fera les pieds !

— Et pourquoi donc prendrais-je ces pièces ? fit-il. Ce ne sont jamais que des disques de métal avec un visage gravé dessus. À quoi cela me servirait-il dans le Désert perdu ? On ne peut pas se battre avec, on ne peut pas les manger…

— Mais on peut acheter tout ce que l'on veut avec de l'argent, lui assura la jeune fille.

— La belle affaire ! Et à quoi pourrait ressembler une vie de ce genre ? glissa Urgum d'un ton sarcastique. Rester là, assis à ne rien faire, si ce n'est dépenser sans compter ? C'est le problème avec vous, les Mains-douces : vous êtes là, à palabrer, à lire, à écrire, à acheter, mais vous ne FAITES jamais rien.

— Il y a quand même bien une chose que vous aimeriez vous offrir avec de l'argent, non ?

À sa grande surprise, le sauvage fit non de la tête. Il détourna le regard. Divina était convaincue que, sous toute cette crasse et tous ces cheveux, son visage rougissait.

— Il y a quelque chose, hein ? Alors, qu'est-ce que c'est ?

Il était cramoisi. Divina luttait désespérément pour garder son sérieux et pour afficher une expression respectueuse face à cet homme terrifiant et dangereux. En vain. Elle n'en pouvait plus ! Et d'un seul coup, son visage se plissa, se fendant d'un large sourire. Elle le fixa avec des yeux ronds comme des billes. Jamais le sauvage n'avait vu de minois si charmant. Il était médusé par son éclat et ne pouvait plus s'empêcher de le contempler. Jusqu'au moment où, le cheval d'Urgum, qui en avait assez de ne pas faire l'objet de plus d'attention, s'approcha en marche arrière, s'interposa entre les deux jeunes gens, orienta sa croupe vers Urgum et lui fouetta le visage d'un coup de queue.

Le sauvage se débattit avec mauvaise humeur et balaya les crins d'un grand revers de la main. Quand il réapparut enfin devant Divina, son visage affichait un sourire timide.

– Bon, euh… Eh bien, comment vous appelez-vous ? demanda-t-il, l'air tout chose.

– Vous voulez savoir mon nom ? C'est ça ? répéta-t-elle. Vous voulez vraiment que je vous dise comment je m'appelle ?

– Bien sûr, que c'est ce que je veux, lui dit-il de nouveau irrité. Alors, vous allez me le dire, oui, ou il faut que j'achète votre nom avec votre fameux argent ?

– Mais il n'est pas à vendre ! précisa-t-elle. Il est à moi. Si je ne vous apprécie pas, je ne vous le donnerai pas.

Et l'argent n'y changera rien.

– Vous voyez ! s'écria le sauvage. L'argent ne peut pas acheter ce que je veux. Vous n'avez qu'à garder votre quincaillerie, vous et votre père, l'avaler si ça vous chante, et vous étrangler avec !

Sur ce, il tourna les talons, et s'éloigna à grands pas en direction de son cheval.

– Divina ! C'est Divina, s'empressa-t-elle de crier.

Le sauvage s'arrêta et se retourna.

– Divina ? répéta-t-il. C'est votre nom ? Je croyais que vous ne vouliez pas me le dire !

– Enfin, c'était comme ça, au cas où je ne vous apprécierais pas. Mais, là…, s'interrompit-elle.

– Ah…

Mine de rien, le sauvage se rapprocha doucement d'elle, la démarche un peu fébrile.

Vingt années s'étaient écoulées et Urgum n'avait pas changé d'un poil. Si l'on devait lui apporter tout l'argent du monde sur un plateau, il ne donnerait pas l'ombre d'un tanna pour l'obtenir.

Flèches contre hache

Une flèche à l'empennage orangé traversa le ciel en sifflant. Elle transperça un premier aigle, puis un deuxième qui volait juste à côté de lui.

Piiiiiiiiiouuuuuh...

TONK
TONK

Les deux oiseaux tombèrent sur le sol, exactement où il fallait. C'est-à-dire devant l'entrée de la grotte de Grizelda Barbirella. Urgum, quant à lui, était en train d'astiquer sa hache, à quelques mètres de là.

– Dans le mille ! annonça-t-elle d'un ton triomphant en passant, l'arc à l'épaule. Qu'est-ce que tu en dis ?

– Bof… Pas grand-chose, répondit Urgum, affectant un air blasé.

Cela faisait maintenant quelques semaines qu'il était de retour. Et ce matin-là, les garçons étant tous partis folâtrer dans les environs et Mongoïd s'étant absenté lui aussi, il n'y avait donc personne avec qui il pouvait se disputer. Aussi, Urgum décida-t-il de s'adonner à une toute nouvelle distraction. Non seulement c'était intéressant, mais en plus, cela demandait une certaine dose de créativité. En clair, il s'agissait de chercher des noises à Grizelda.

– Quoi, c'est tout ce que ça te fait ? s'écria Grizelda, trépignant devant lui, tout en levant le doigt au ciel. Je serais curieuse de te voir toucher deux aigles en même temps avec une hache.

– Moi pas, en tout cas, rétorqua Urgum. D'autant que les aigles, ce n'est pas ma tasse de thé. Une viande bourrée d'os, filandreuse en plus. Et puis toutes ces plumes : beurk, du vrai chewing-gum !

– Allons Urgum, il faut que tu te mettes à la page. La flèche, c'est l'arme de l'avenir ! Pas besoin d'être tout près de la cible, on ne ruisselle pas de sueur, on reste propre…

– Pouah ! grogna Urgum, en faisant glisser un doigt affectueux le long du manche de sa hache. Mais où est le plaisir dans tout ça ? L'âme ? L'émotion du corps à corps ? Avec une hache, lorsque la cognée atteint sa cible, on ressent toutes les vibrations du choc. Alors qu'avec une flèche, on n'entend qu'un « Chpling ! » de rien du tout. Pfff… Quel intérêt ? Tiens, essaye donc un peu de fermer les yeux et de décocher une de tes flèches. Tu ne sauras même pas si tu as fait mouche ou non.

– Avec une flèche, je peux atteindre ce que je veux, où je veux et quand je veux.

– Et alors ? Ce sont les personnes contre qui on se bat qu'il faut toucher. Ça ne se fait pas de tuer quelqu'un au hasard, comme ça, que l'on ne connaît ni d'Ève ni d'Adam. Regarde, voilà Molly. On va lui demander ce qu'elle en pense.

Molly venait juste de pointer son nez en dehors de la grotte, et se dirigeait vers une faille dans la paroi du bassin qui s'ouvrait sur le Désert perdu.

– Hé, Molly ! lança Urgum. Qu'est-ce qui vaut le mieux à ton avis ? Une bonne hache bien brillante et bien lourde, ou une minuscule flèche qui fait « Chpling » ?

– Ça ! trancha Molly en brandissant une pelle.

– Hein ? lâchèrent en chœur Urgum et Grizelda.

– C'est facile de tuer, mais avec des pelles, on peut faire

pousser des choses et donner la vie. Vous n'avez qu'à venir voir dans mon jardin, si vous ne me croyez pas !

Elle s'engouffra dans la faille, passa devant Olk et continua tout droit.

– Je suis toujours convaincu que les haches, c'est quand même ce qu'on a fait de mieux, insista Urgum.

– Ah vraiment ? ironisa Grizelda en sortant une flèche à l'empennage orangé du carquois qu'elle portait en bandoulière. Dans ce cas, je te propose d'aller te poster à l'entrée de ta caverne. Nous verrons bien qui de nous deux tuera l'autre le premier.

– J'ai une meilleure idée, dit Urgum. Tu restes à côté de moi, et pendant que tu bricoles avec la corde de ton arc, moi, j'en profite pour te trancher la tête.

– Ben voyons ! s'exclama Grizelda. C'est tellement ringard de courir dans tous les sens en brandissant une hache. Alors que rester tapis dans l'ombre, un arc à la main, ça, c'est la classe ! Je peux atteindre n'importe qui, sans même qu'il sache d'où provient l'attaque.

– Oh ! je vois le genre, se moqua Urgum d'un air méprisant. On ne veut pas être aperçue, c'est ça ? Trop honte peut-être ? Aurais-je visé juste ? Difficile d'être fier de soi quand « Chpling ! », on décoche une petite flèche à quelqu'un, pas vrai ?

À ce stade de la conversation, Grizelda n'était pas loin d'exploser. De son côté, Urgum s'amusait comme un fou.

– On ne fait pas que ça ! fulmina Grizelda. On peut

aussi s'en servir pour envoyer des messages. Enfin, à condition de savoir lire ou écrire. Ce qui ne serait d'aucune utilité dans ton cas, puisque tu ne sais ni l'un, ni l'autre.

– Tu m'en diras tant ! Des messages… ? se gaussait Urgum. Ma hache envoie le seul message dont j'ai besoin : « NE ME CHERCHEZ PAS ! »

– Et on peut envoyer des flèches enflammées pour mettre le feu, poursuivit Grizelda. Ou les empoisonner, ou même nouer une corde à la queue de l'une d'elles pour la faire passer à quelqu'un de l'autre côté d'un canyon, par exemple…

– Oh, laisse tomber, tu veux ? s'esclaffa Urgum, hilare. Les flèches, c'est juste une mode. C'est comme la roue ou le fait de manger des légumes, ça passera ! Dans quelques années, on les aura complètement oubliées. Et les gens se retourneront sur ton passage pour se moquer de toi. Moi, je ne peux déjà plus me retenir, alors si ça ne t'embête pas, je vais m'en payer une bonne tranche dès maintenant : ha, ha, ha !

Grizelda venait de décider qu'elle allait se servir d'Urgum comme d'une cible pour s'entraîner au tir, quand tout à coup, un hurlement retentit. Cela venait des portes du monolithe.

– C'est Olk ! lâcha l'archère, le souffle court.

– Il a des ennuis ! conclut Urgum. Branle-bas de combat !

Ils se ruèrent vers la faille pour atteindre l'endroit où se trouvait l'imposante sentinelle. Olk se tenait face au Désert perdu. Des voix perchées jacassaient et poussaient des cris perçants.

– Ah, ah ! Manqué ! Loupé !

– Pas si sûr, nuança Olk en inspectant le fil de sa terrible épée.

Une touffe de cheveux verts emmêlés et un peu de sang frais souillaient la lame.

– Oh non ! pas ça, soupira Grizelda. C'est une horde de Nipeurderiens…

Au loin, un groupe de brigands dégingandés et en guenilles sautaient de rocher en rocher. Ils étaient grands, avec de petites têtes, des bustes courts, de longues jambes, de longs bras et des voix aiguës. Les Nipeurderiens se vantaient d'être la tribu la plus enquiquinante de tout le Désert perdu. Et c'était drôlement vrai !

– Ah, les racailles hypertrophiées ! cracha Urgum. On m'avait prévenu qu'ils traînaient dans le coin. Regarde, il n'y en a pas un, là qui essaye de s'attaquer à Olk ?

Urgum et Grizelda se baissèrent d'un seul coup pour esquiver un jet de pierres. Un autre caillou, plus gros que les autres, alla rebondir sur la tête d'Olk. Le géant loucha légèrement vers le haut, et grogna lorsqu'il sentit le filet de sang s'échapper de l'entaille et couler sur son front.

– Vous ne nous attraperez jamais ! hurla l'un d'eux d'une voix de dément.

Olk était sur le point de charger quand Urgum le retint.

– Laisse tomber Olk, lui souffla-t-il. Ils sont trop rapides. Et en plus, ils n'en valent pas la peine. Il vaut mieux que tu restes ici et que tu gardes l'entrée. Ils ne tarderont pas à s'en aller.

Le regard des trois compagnons était braqué sur les Nipeurderiens, qui avançaient dans l'allée des Sourires et jetaient des pierres sur les crânes pour les faire tomber de leurs piquets.

Olk poussa un autre grognement en retirant la touffe de cheveux verts de sa lame. Et il la colla sur sa propre tête.

– Bandage, lâcha-t-il pour expliquer son geste à Urgum et Grizelda.

– Très ingénieux, commenta Urgum en hochant la tête.

– Oui, excellente idée, convint Grizelda.

– BLAGUE ! grommela Olk en soulevant sa lourde épée.

– Oh, oui, bien sûr ! Ha, ha, ha, c'est super marrant ! pouffa Grizelda.

– Ho, ho, ho ! renchérit Urgum.

Totalement tordant. Ah ! Voilà qui plairait à Molly. Où est-elle au fait ?

D'un seul coup, Olk écarquilla les yeux, pris de panique. Il pointa un énorme index en direction des rochers.

– FILLE, dit-il.

– Oh non ! s'étouffa Urgum. Elle est allée bêcher son parterre de fleurs. Il faut que j'aille la chercher avant que les Nipeurderiens ne la repèrent.

– Je t'accompagne ! lança Grizelda.

Et ensemble, ils sortirent en courant de l'enceinte du monolithe.

Des visiteurs inattendus

Molly était agenouillée dans son parterre de fleurs. C'était bien là le seul bout de bonne terre de tout le Désert perdu. Un soulagement s'empara d'Urgum quand il constata que sa fille était seule. Aussitôt, il lui fit signe de la main et lui cria :

– Molly, rentre à la maison tout de suite.

– Regarde, Papa, lui répondit-elle en montrant le sol.

– Non, on n'a pas le temps, répliqua-t-il.

– Mais, si ! insista-t-elle. Il y a une grosse marque de pas sur mon parterre et je ne suis pas contente du tout.

– Ça ne fait rien, on verra ça plus tard. Viens, je te dis !

Mais, il était trop tard. À la grande stupeur d'Urgum, une silhouette gigantesque dégringola des rochers et se posta devant Molly. Grizelda était sur le point de s'élancer dans leur direction, lorsque le Barbare la retint par le bras pour l'entraîner derrière un buisson touffu.

– Attention ! chuchota-t-il. Si le Nipeurderien panique et l'enlève, on ne parviendra jamais à le rattraper dans ces rochers. Il faut se débrouiller pour le prendre par surprise.

D'un geste rapide, Urgum trancha deux branches d'un coup de hache et passa l'une d'elles à Grizelda. Ils se camouflèrent derrière, se jetèrent à plat ventre et commencèrent à ramper le plus doucement possible en direction du jardin. En se rapprochant, ils aperçurent le visage du Nipeurderien penché au-dessus de Molly ; il ricanait. La gamine lui arrivait à peine au-dessus du genou. Et pourtant, cela ne l'empêchait pas de lui faire un sermon. Elle était rouge de colère :

– Je te préviens, le menaçait-elle en agitant la pelle sous son nez. Tu as intérêt à regarder où tu mets les pieds, c'est compris ?

– Pourquoi ? demanda le Nipeurderien.

– Regarde ! lui ordonna Molly en montrant l'empreinte. Quelqu'un a écrabouillé mes roses des sables et franchement, ça, ça m'énerve pour de bon. J'ai planté les graines, j'ai attendu qu'elles germent en les arrosant tous les jours. Et quand le gel est arrivé, j'ai mis de la paille sur leurs pieds. Et là, juste au moment où je réussis à avoir de belles fleurs, et où je me dis que je vais enfin pouvoir les vendre, quelqu'un arrive et les écrabouille !

– Tiens donc ? pouffa le Nipeurderien. Tu veux dire, comme ça ?

Il souleva le pied. Mais avant qu'il ne l'abatte sur une seconde fleur, Molly plongea et fracassa la pelle sur sa jambe aussi fort qu'elle le put.

Le Nipeurderien tomba à la renverse. Malheureusement, il y avait plus de peur que de mal.

– Nom d'un chien, geignit-il, en massant sa jambe. Je vais t'apprendre, moi !

– Même pas peur ! lâcha Molly tout en gardant ses distances. Méfie-toi. Un jour, moi aussi, je serai une Barbare.

Puis il y eut un drôle de sifflement.

– Pssst ! Par ici !

– Tiens, bizarre, on aurait dit que ça venait des branchages. Molly y regarda à deux fois. Non, elle ne rêvait pas : il y avait bien deux buissons qui s'agitaient et s'avançaient vers elle. Pas de doute.

– Ne cours pas, approche calmement, souffla le buisson.

– Qu'est-ce qui se passe ici ? demanda le Nipeurderien.

– Oh rien ! c'est juste un buisson qui avait un truc à me dire, glissa Molly avec désinvolture. D'ailleurs, je te signale que c'est à moi qu'il parle, pas à toi. Donc, c'est pas tes oignons.

C'est alors qu'un grand oiseau déplumé, arrivé de nulle part, fondit vers le sol.

– Aïïïïïïïïïïie ! hurla Urgum.

C'était Percy. Le volatile venait d'enfoncer ses serres dans le gras des fesses du sauvage.

– Vas-t'en, triple buse ! Je ne suis pas mort. C'est juste que j'avance doucement !

D'un bond, Grizelda se dégagea et surgit du second buisson. Elle n'était plus qu'à deux pas de Molly. Elle s'élança pour l'attraper… Trop tard : le 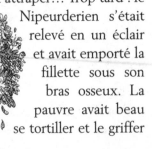 Nipeurderien s'était relevé en un éclair et avait emporté la fillette sous son bras osseux. La pauvre avait beau se tortiller et le griffer

comme un chat furieux, elle ne parvenait pas à se dégager.

– Lâche-la, hurla Urgum, brandissant sa hache d'une main, et tentant, de l'autre, de se dégager de l'étreinte de Percy.

– Vas-y, essaye donc si tu l'oses ! s'esclaffa le Nipeurderien. Deux ou trois grandes enjambées, et il était déjà loin. Il bondissait entre les rochers avec Molly sous le bras qui se débattait et agitait sa pelle dans tous les sens. Mais ça ne servait à rien. Quand Urgum rejoignit le parterre de fleurs, ils étaient déjà hors d'atteinte.

– Vous n'arriverez pas à m'attraper ! hurla le ravisseur.

– Papa ! cria Molly. Dis-lui que je suis très énervée maintenant.

– Elle est vraiment très énervée maintenant ! vociféra Urgum. Et moi aussi !

– Ouuuh, mais c'est qu'elle a du caractère, la petite ! ironisa le Nipeurderien. Mais là, tu ne fais pas le poids. Je vais te donner une bonne leçon.

Avec un effort surhumain, Molly souleva sa pelle pour assener un grand coup sur la tête du Nipeurderien. À sa grande surprise, le brigand tomba à genoux et desserra son étreinte. Elle réussit à se dégager juste avant que le corps de ce grand échalas bascule tête la première.

– Tout va bien ? demanda Urgum, à bout de souffle, en gravissant péniblement les rochers pour rejoindre sa fille. Je vais le découper en rondelles à coups de hache, moi !

– Une hache ? Bah, pourquoi ? Ma pelle fait très bien l'affaire ! se moqua Molly avec espièglerie. Regarde, un bon coup sur la tête, et voilà le travail !

Effectivement, le Nipeurderien gisait à terre, en gémissant. C'est alors que Grizelda apparut, son arc à la main.

– Trop tard, Grizelda. Tu peux ranger ton gadget. La pelle de Molly lui a réglé son compte.

– Sans blague ? glissa l'archère en faisant rouler le corps dégingandé de leur ennemi sur le dos.

L'empennage orangé d'une flèche saillait de son ventre. Grizelda l'empoigna et tira d'un coup sec, ce qui arracha à sa victime un cri de douleur. Puis, elle essuya la tige maculée de sang sur la tunique en lambeaux du Nipeurderien :

– Dans ce cas, la prochaine fois, je ne me donnerai pas la peine de salir une de mes flèches.

– Oh, non ! se lamenta Molly, toute déçue. Je croyais que c'était moi qui l'avais mis K.O.

– Disons que c'est un peu nous deux, concéda Grizelda. En tout cas, une chose est sûre, ce n'est pas Urgum et sa vieille férouille... Comment dit-on déjà ? Ah oui... Une hache ? Allez, reconnais-le, Urgum, tu n'étais pas assez rapide et bien trop loin pour agir. L'arc et les flèches... *C'est de la balle !*

Urgum resta planté là, bouche bée, fixant du regard le Nipeurderien qui léchait sa plaie. Il avait du mal à l'admettre, mais Grizelda avait gagné. Après tout, elle avait sauvé Molly. Et puis, maintenant, il avait une dette envers elle. Mais comment formuler tout ça ? Il pensa d'abord lui dire quelque chose du genre : « D'accord, c'est vrai, tu avais raison, j'avais tort. Au fait, merci beaucoup, hein ! », quand tout à coup, un autre

Nipeurderien s'élança d'une corniche et fit un atterrissage fracassant au milieu des trois compagnons. Il était aussi dépenaillé et crasseux que son congénère. Celui-ci portait un veston de feutre épais vert foncé, dont les manches, trop courtes, parvenaient à peine à recouvrir les coudes de ses longs bras maigres. On devinait des vestiges de galons dorés sur les manchettes, qui avaient dû appartenir à un officier de la garde du palais Laplaie. Ce veston était sans aucun doute un signe de distinction majeure : Urgum, Grizelda et Molly se trouvaient en face du chef de la bande. Pour intégrer les troupes des Nipeurderiens, il fallait faire montre d'une grande cruauté et d'une grande perfidie.

– Qui a descendu mon frère ? demanda le nouveau venu hargneusement.

– C'est elle ! répondit Urgum en désignant Grizelda.

Elle voulut bander son arc, mais le bonhomme le balaya d'un revers de la main et   empoigna la jeune femme qu'il colla contre un rocher. Il pressa une lame contre sa gorge et se pencha sur elle. Son nez touchait presque le sien. Elle découvrit ses dents avec horreur. C'était à se demander si elles n'avaient pas été taillées dans un fromage un peu trop fait.

– Alors c'est toi, hein ? lui souffla-t-il en pleine face. Tu peux faire tes prières, ton heure a sonné.

– 'Tention, mon gaillard… Elle a un arc et des flèches, prévint Urgum.

Mais comme le Nipeurderien était presque collé à elle, elle était impuissante.

– Ah ! tu vois Grizelda, lança Urgum en feignant de la plaindre. Si tu avais une hache, là…

Dans un grondement de rage, Grizelda proféra ce que la bienséance nous empêche d'écrire. Ooouuh, cette fois-ci, elle était vraiment de mauvais poil ! Or, c'était bien plus Urgum qui la mettait hors d'elle que le chef des Nipeurderiens.

– Je te hais, lança Grizelda à son compagnon d'armes. Ah ! qu'on en finisse. Au moins, quand je serai morte, je n'aurai plus à te supporter.

– Eh ben, c'est pas ton jour de chance, parce que c'est pas pour tout de suite…, plaisanta Urgum.

Tenant sa hache par la cognée, il tapota à l'aide du manche sur l'épaule du Nipeurderien :

– Hum… hum… C'est bon, mon mignon, fini la rigolade maintenant, lâcha-t-il. J'essayais juste de lui donner une petite leçon.

– Mais, elle a dégommé mon frère ! se plaignit le chef des Nipeurderiens en lançant des regards assassins à Grizelda. Il doit être vengé, c'est la loi du désert.

– Tu veux m'apprendre, *à moi*, ce qu'est la loi du désert ?

Urgum ne put s'empêcher de rire.

– Et à ton avis, quand on attrape ma fille et qu'on l'emporte sous le bras, qu'en est-il de la loi ? Être cloué au flanc de la montagne des Fourmis de feu : voilà tout ce que mérite ton frère ! Oui, ces bestioles ramperont jusqu'à l'intérieur de ses narines, lui descendront le long de la trachée, infligeant à son estomac la terrible torture de leur morsure. Ton frère a eu de la chance, tu sais. Alors, maintenant, fiche le camp, avant que je te taille en pièces.

Urgum postillonna sur la cognée de sa hache. Il en astiqua les contours du bout du pouce. Son tranchant menaçant étincelait sous le soleil. Impressionné, le Nipeurderien abaissa sa dague, et recula. L'inquiétude se lisait dans ses yeux. Grizelda en profita pour bander son arc et l'armer d'une flèche.

– Deux contre un ! Belle conception d'un combat à la loyale, ironisa le chef des Nipeurderiens.

– Trois contre un, tu veux dire ! rectifia Molly en crachant sur sa pelle pour essuyer la boue qui la recouvrait. J'ai une pelle, et je sais m'en servir.

– Attends, Grizelda, j'ai une idée, d'un seul coup. Et si on laissait notre petit ami nous dire quelle arme est la meilleure… Hé, toi ! Dis-nous ce que tu préfères ? Tu veux plutôt recevoir une petite flèche de rien du tout qui fait un « chpling » et qui dépassera un peu, comme ça, tu vois ? Ou alors, être découpé à la hache : chlack, chlack, plus de mains… Et ainsi de suite jusqu'à ce que je te transforme en un tas de chair encore tout tremblotant de peur.

– Et moi, je peux te fracasser la jambe avec ma pelle, renchérit Molly. Alors ?

En voyant les trois compères s'avancer vers lui, le Nipeurderien paniqua et commença à battre en retraite. Et là, il fit un faux-pas : paf ! il alla mordre la poussière. Urgum éclata de rire.

– Allez, vous deux, laissons-le filer. Il commence à me fatiguer, déclara Urgum.

Mais au moment où Urgum, Grizelda et Molly tournèrent les talons, le chef des Nipeurderiens les rappela.

– Je croyais que tu étais Urgum-le-Terrible ; alors comment se fait-il que tu aies besoin de deux filles pour t'aider ? Aurais-tu peur de m'affronter tout seul, en face à face ?

Urgum s'arrêta net. Les pupilles de ses yeux se rétractèrent, sa main resserra le manche de sa hache, tandis que les articulations de ses doigts blanchissaient. Grizelda attira Molly vers elle.

– Vite, Molly, viens par ici. Ça commence à sentir le roussi.

Elles coururent jusqu'à un arbre, puis grimpèrent sur ses branches pour ne rien perdre du spectacle. Urgum se retourna, fusilla du regard le Nipeurderien qui était toujours allongé par terre, tandis que deux formes aux aguets, sombres et ébouriffées tournoyaient dans le ciel. Djinta et Percy se réjouissaient : le dîner ne tarderait pas à être servi.

– Là, tu viens de faire une grossière erreur, grommela

Urgum d'une voix sépulcrale qui effraya tant le brigand qu'il en claqua des dents. Quand je t'ai dit de ficher le camp tout à l'heure, tu aurais mieux fait de filer. Maintenant lève-toi et viens te battre. Et si tu fais un pas de plus en arrière, je te préviens, tu es mort.

Le chef des Nipeurderiens se releva tant bien que mal. Et quand il se fut redressé, Urgum avait la tête complètement basculée en arrière pour pouvoir continuer à le regarder dans les yeux.

– Tu devrais être satisfait là : on est face à face ! gronda Urgum en affichant un air de défi.

– Face à face ? Tu veux rire ? Ton nez m'arrive au nombril, fit remarquer le Nipeurderien.

– Je me fiche de ta taille, morveux. On est un contre un, ça devrait te convenir. Alors, d'accord pour te battre ?

– Mmouih ! peut-être. Mais c'est idiot.

– Comment ça « idiot » ?, demanda Urgum, méfiant.

Pour toute réponse, le Nipeurderien sortit une corne de buffle de sa ceinture et souffla dedans. Une étrange complainte déchira l'air en grinçant à travers les plaines caillouteuses. Perchées sur leur arbre, Griselda et Molly virent la ligne d'horizon se brouiller. Les silhouettes dégingandées de six autres brigands de la même espèce apparurent. Ils se dépêchaient pour rejoindre leur chef. Urgum alla s'adosser à la paroi rocheuse pour protéger ses arrières.

– Papa ! hurla Molly assise sur une branche. Ils sont sept maintenant !

– Sept ? demanda-t-il, la gorge serrée.

Et ce qui devait arriver, arriva… La bande de Nipeurderiens ne tarda pas à l'encercler. Urgum recula d'un pas. Il était acculé, dos à la roche.

– Ah, elle est belle votre conception d'un combat à la loyale ! déclara-t-il.

Le chef sourit de toutes ses dents :

– La *conception* d'un combat à la loyale… ? Qu'est-ce que c'est ? Désolé, on ne connaît pas. En revanche, on sait ce qui est idiot de faire ou pas.

Urgum examinait ces visages grêles et grimaçants. Était-ce vrai ce que l'on racontait à propos des nouveau-nés nipeurderiens ? On les disait si laids que, si l'on en montrait un à un troupeau de rhinocéros, les pauvres bêtes avaient tellement peur qu'elles s'enfuyaient à la débandade et finissaient par se jeter dans un ravin… Urgum songea que c'était fort probable. Parmi ceux qui se trouvaient devant lui, même le plus petit des Nipeurderiens le dépassait. Sa robe à carreaux toute crasseuse suggérait qu'il s'agissait d'une femelle. Mais le corps que l'on devinait sous cet accoutrement était aussi séduisant qu'une brochette de kebab.

– Alors, on fait moins le malin, hein ? demanda le chef en ricanant. Tu vas te défiler ?

– Pas encore. Il y a un point que j'aimerais éclaircir, affirma Urgum.

– Quoi donc ?

– L'un d'entre vous a piétiné le parterre de fleurs de Molly. Et celui ou celle qui en est responsable ferait mieux de s'excuser auprès d'elle.

Les Nipeurderiens se regardèrent silencieusement les uns les autres, étonnés. Puis ils entonnèrent avec leurs voix de crécelle :

– Un parterre de fleurs ?

– Par ici ?

– Bah ! c'était pas moi.

– Certainement pas moi !

– Ni moi.

– Où est-ce qu'il est, d'abord ?

– C'est ça ?

– Ah oui ! regardez. Il y a une trace de chaussure, là.

– En tout cas, ce n'est pas la mienne.

– Ni la mienne…

Ils bavardaient de plus en plus fort, et leurs voix devenaient de plus en plus stridentes. Urgum s'adossa contre le rocher et lâcha un long soupir. Ce qu'ils étaient empoisonnants, ces Nipeurderiens, à la fin. Ils étaient censés se battre là, non ? Se rendaient-ils compte qu'on les attendait ? Pffff… Urgum jeta un coup d'œil autour de lui, s'attendant à ce qu'il en vienne d'autres. « Ils ne sont pas encore en vue, mais ils ne vont pas tarder à rappliquer », se dit-il. Sous l'effet de l'excitation, les voix des Nipeurderiens montaient dans l'aigu. À force, Urgum perdait patience.

Perchée dans l'arbre, Molly avait du mal à voir ce qu'il se passait, et cherchant à se rassurer, elle agrippa le bras de Grizelda.

– Ils sont sept contre Papa, remarqua-t-elle, en essayant de garder son calme. C'est injuste. Faut qu'on fasse quelque chose. Tu ne pourrais pas en tuer quelques-uns avec ton arc ?

– Tu plaisantes ? Ton père serait furieux que je lui prête main-forte pour une si petite bagarre, répondit Grizelda.

– Mais tu ne vois pas comme il guette l'horizon. Il a l'air inquiet.

– Inquiet ? Mais pourquoi, grand Dieu ?

– Il risque de se faire tuer.

– Urgum, se faire tuer ? gloussa Grizelda. Tu parles !

Tu l'as déjà vu se battre ? Euh ! je veux dire se battre *pour de vrai*.

– Non, pas vraiment.

Grizelda s'étendit de tout son long sur la branche qui la soutenait, laissant son interminable jambe pendre négligemment dans le vide. Elle saisit ensuite entre ses doigts quelques pointes de cheveux qu'elle examina, l'air pensif. Elle loucha. C'était si drôle, que l'espace d'un instant, Molly en oublia le danger qui menaçait son père.

– Quand j'avais ton âge, j'étais esclave chez les gros Breiz-d'Ingues. Un jour, trente d'entre eux ont tenté d'attaquer Golglouta. Urgum, Mongoïd et Olk les ont

affrontés ensemble. Mais c'est Urgum, tout seul, qui a eu raison d'eux. Ce qui a fait la différence, ce ne sont pas son habileté ni sa force, ni le fait qu'il est sans pitié et brutal. Non, c'est sa rapidité : il leur est tombé dessus aussi vite que la foudre, alors que Mongoïd et Olk en étaient encore à parler tactique. Et quand ils ont été enfin prêts à attaquer, tout ce qu'il leur restait à faire, c'était de ramasser les morceaux sur le champ de bataille.

– Waouh ! N'empêche, sept contre un, c'est injuste.

– Tu as raison, c'est injuste. Ces pauvres minables n'ont aucune chance de s'en sortir.

Grizelda plongea son regard dans celui de Molly, et y

lut toute son inquiétude. Alors elle se releva et s'assit face à elle. Elle prit une voix d'une douceur que Molly ne lui connaissait pas.

– Est-ce que tu sais garder un secret ?

Molly hocha la tête.

– Ton père est le guerrier le plus impressionnant que j'aie jamais rencontré. Personne ne peut l'égaler. Même en rêve personne ne manie la hache avec une telle dextérité.

Grizelda s'interrompit un moment, elle semblait gênée.

Puis, elle reprit sur un ton sévère :

– Mais je te préviens, si tu lui racontes ce que je viens de te dire, tu es morte.

Molly rayonnait : elle était si fière !

Pendant ce temps, du côté des rochers, Urgum n'en pouvait plus de ce tintamarre.

– La ferme ! hurla-t-il furieux.

Le concert des voix dissonantes s'interrompit d'un seul coup et tous les Nipeurderiens se tournèrent vers Urgum, presque étonnés de constater qu'il était encore là.

– C'est bon ? s'impatienta-t-il. Je vous préviens, je ne vais pas attendre indéfiniment que les autres arrivent. Alors, est-ce que l'un d'entre vous va enfin s'excuser d'avoir piétiné le parterre de fleurs ?

– Quels autres ? demanda le chef.

– C'est ça, changez de sujet, gronda Urgum, à bout de

nerfs. Est-ce que l'un d'entre vous va finir par dire
« PARDON MOLLY », ou il faut que je vous aide ?

Le chef des Nipeurderiens rétorqua, abasourdi :

– Il ne te reste plus que quelques minutes à vivre et tu
nous fais tout un plat avec cette histoire de petites fleurs
à la noix. J'ai du mal à te suivre…

Urgum chercha une réponse percutante. En vain.
Alors, il porta la main à son cou et fit glisser ses doigts
sales sur le devant de sa tunique. Il palpa le pourtour de
l'encolure avec précaution et dégagea quelque chose qui

ressemblait à un ruban vert crasseux, sur lequel, çà et là, pendaient quelques pompons de couleurs. C'était le fameux collier de fleurs que Molly lui avait offert à son retour de la Taverne de la Licorne.

– Personne ne t'a mis au courant ? demanda Urgum. Tu ne sais donc pas que les petites fleurs à la noix, comme tu dis, sont devenues très *tendance*, ces temps-ci chez les gros durs ?

Le chef des Nipeurderiens renversa la tête et libéra un énorme éclat de rire du fin fond de sa gorge, tandis que les autres se poussaient du coude en caquetant. Urgum replaça soigneusement le collier sous sa tunique d'un air satisfait. Puis, il se frotta les omoplates contre la paroi du rocher. Quand en courant le long de sa hache, sa main s'emplit d'une douce chaleur au contact du manche. Chaque rainure dans le bois, si profonde fût-elle, lui semblait familière, et le poids de la double cognée, qui reposait désormais dans sa paume, était une présence rassurante. Il passa en revue la bande de renégats qui se tenaient devant lui. Ceux-ci fouillèrent le fond de leurs poches et leurs ceintures. Et d'un coup, leurs mains réapparurent, armées de petites lames, de gourdins hérissés de pointes, et d'épées. Enfin, il allait y avoir de l'action ! Urgum jeta un dernier coup d'œil vers l'horizon. Aucun autre Nipeurderien en vue. Il prit une profonde inspiration, et souleva sa hache jusqu'à la poitrine. Il était prêt à frapper.

– C'est parti mon kiki ! hurla Urgum, et un sourire passa sur ses lèvres avant qu'il lance son cri de guerre :

ON a LES CHOCOTTES ?
NON !
SUIS-JE UNE CHOCHOTTE ?
NON !
PARCE QUE JE SUIS...
COMPLÈTEMENT CINGLÉ !

– Et maintenant, poursuivit-il, rendons hommage aux dieux !

C'est alors que, surgi de nulle part, un gigantesque pouce appuya sur le bouton « pause » de la télécommande de l'éternité. Sans même s'en rendre compte, Urgum et les Nipeurderiens se figèrent sur place, comme des statues.

Le pari
des dieux

Là-haut, dans la Demeure céleste de Sirrhus, Tangor et Tangal s'étaient installés confortablement pour assister aux exploits de leur héros. Cela faisait un sacré bail qu'il ne leur avait pas offert un spectacle barbare digne de ce nom. En général, c'était un régal pour les yeux. Ils commençaient à s'amuser, juste au moment où les Nipeurderiens se préparaient à donner l'assaut, quand un troisième dieu se matérialisa, s'empara de la télécommande de l'éternité et arrêta l'action.

– Hé ! s'exclama Tangor. Mais on regarde, nous !

– Prêts à voir le petit gros, pardon, *votre dévoué serviteur*, se faire découper en rondelles, hein ? demanda l'étranger.

Les jumeaux tournèrent la tête. Et que virent-ils ? Nipeurdedeus, le dieu des Nipeurderiens. C'était lui qui avait arraché la télécommande des mains de Tangor.

Maintenant, les jumeaux pouvaient toujours courir pour la récupérer.

– Il va anéantir ta bande de racailles ! rétorqua Tangal.

– On parie ? demanda Nipeurdedeus. Regarde-le !

Tangor et Tangal examinèrent attentivement Urgum. Nipeurdedeus ricanait dans leurs dos.

– Vous voyez ? grognat-il. Il tremble. Il est dos au mur.

– Fadaises ! s'emporta Tangor. Il va attraper tes sept monstres et va s'en servir pour balayer le sable avec.

– Nan ! c'est un dégonflé, il ne le fera pas. Votre champion est sur le point de vous lâcher.

– Jamais ! s'insurgea Tangor.

– Eh bien, il n'y a qu'à vérifier, ajouta Tangal.

La déesse tendit le bras vers une étagère et attrapa une petite boîte en bois, percée sur le haut. Des rangées de cheveux étaient tendues avec soin et barraient le trou, tandis qu'un os creux poli saillait à l'arrière de la boîte. Tangal pointa l'os en direction d'Urgum, et les cheveux se mirent à vibrer en émettant une note de musique douce.

– Vous voyez ? Le détecteur de courage dit que tout est normal. Il va donner une bonne correction à tes protégés.

Puis l'engin se mit à couiner. Oh ! ce fut bref, mais il avait bel et bien couiné.

– J'vous l'avais dit, lâcha Nipeurdedeus en éclatant de rire triomphalement. Il l'a perdu, son courage. Il a beau être tout en muscles, tout ça, c'est du flan. Il va finir haché menu.

– Pas question, lâcha Tangor.

– On parie ? sourit Nipeurdedeus d'un air suffisant. Ou est-ce que vous aussi, vous avez peur ?

– Je n'ai pas peur de toi, Nipeurdedeus ! répondit Tangor. Mais je me demande ce que l'on pourrait bien

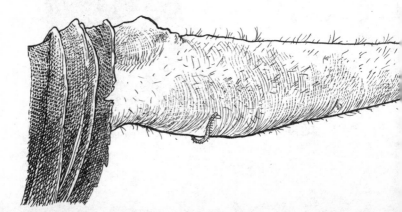

parier. Vu que nous sommes des dieux, et que nous avons déjà tout ce que nous désirons.

– Si Urgum remporte la victoire, je vous baiserai les pieds, suggéra Nipeurdedeus.

– Si ça peut te faire plaisir, concéda Tangal. Vous, les Nipeurderiens, vous êtes vraiment bizarres.

– Mais QUAND Urgum perdra la bataille, alors c'est vous qui me baiserez les pieds !

Nipeurdedeus hurla de rire. Et pour montrer qu'il ne plaisantait pas, il leur colla son pied sous le nez. Il était énorme, poilu, vert, couvert de verrues, dégoulinant de sueur, et chaque ongle de ses huit orteils était marron et fendillé.

– Pas de doute, c'est le pied le plus répugnant de tous les temps, s'étouffa Tangal en se pinçant le nez.

– Celui-là, non, corrigea Nipeurdedeus. Mais celui-ci, incontestablement.

Et Nipeurdedeus leur montra l'autre pied. Si les jumeaux n'avaient pas été des créatures célestes, ils en seraient tombés malades.

– Alors, vous êtes toujours du côté d'Urgum ? demanda-t-il. Ou vous aussi, vous avez peur ?

Tangor et Tangal échangèrent un regard.

– On a parié, dirent-ils en serrant les dents.

Et c'est ainsi que Niperdedeus appuya sur le bouton « play » de la télécommande…

De la conception
d'un combat à la loyale

Les Nipeurderiens finirent donc par avancer.

– Je vais vous dire un secret mes petits gars…, confia Urgum en souriant et en tapotant ses doigts sur le manche de sa hache. Quand une bande de saucisses surdimensionnées, tout juste bonnes à donner aux vautours, vous attaque, aucune raison de paniquer : elles ne peuvent pas s'approcher toutes en même temps. Alors, pour les abattre, tout est une question de bon…

TCHAAAK !

Un coup de hache, et une main fut projetée au sol, encore bien accrochée à une longue épée. Urgum n'eut pas le loisir de l'admirer, car un autre Nipeurderien plongea en avant pour l'atteindre sur le côté.

Et… **SHKLONK…**

Urgum fracassa le manche de sa hache sur le visage ricanant de son assaillant. Le coup fit tituber et tomber ce dernier en arrière. Dans sa chute, il eut quand même le temps d'atteindre Urgum avec son gourdin à pointes : l'arme avait ripé contre son épaule droite avec un bruit de râpe. Mais il en aurait fallu plus pour affaiblir Urgum. De nouveau, la terrible hache se préparait à frapper…

SHCRONTCH !

La mâchoire du Nipeurderien explosa. Une pluie de dents sanguinolentes s'abattit sur Urgum.

CLONG !

Urgum frappa à toute volée le revers de la cognée contre le visage d'un autre Nipeurderien. Celui-ci fit un vol plané et alla rejoindre par terre la main coupée. Indifférent au sang qui lui coulait de l'épaule, Urgum fit un pas en avant. (Et là, bien sûr, il parait à la basse attaque qui veut que si vous vous décollez d'un mur, paf ! un lâche se glisse derrière vous pour vous poignarder dans le dos.)

Sans même regarder, Urgum bondit dans les airs en écartant les jambes. Il balança un grand coup de hache par en dessous.

SCRAAATCHiii !

Le Nipeurderien qui se trouvait dans son dos fut pratiquement tranché en deux dans le sens de la longueur. Urgum posa un genou à terre et faucha l'air en esquissant en arc de cercle avec son arme. Et…

CHFLOP !

Elle alla se ficher dans le ventre d'un autre de ces crétins finis.

Il ne restait donc plus que leur chef. Il se tenait là, en retrait, pétrifié d'horreur, son épée tremblante à la main. Urgum reprit son souffle, et sa tranchante alliée eut droit à un peu de répit. Il lui avait fallu moins de temps qu'une feuille qui tombe de l'arbre pour accomplir tous ces

exploits. Autour de lui, ses ennemis se tordaient de douleur et gémissaient. Ils tentaient désespérément de se traîner loin, de celui qui assurément était le plus redoutable sauvage que le Désert perdu ait jamais connu.

– Comme je le disais, reprit Urgum, tout est une question de « timing ». Bon alors, est-ce que vous allez vous décider à vous excuser ou vous attendez les autres ?

– Les autres ? souffla le chef des Nipeurderiens. Quels autres ?

– Vous êtes censés être sept, non ?

– Nous sommes tous là, déclara le chef des Nipeurderiens. Six allongés par terre, qui se vident de leur sang, et moi.

– Ne me mens pas, hurla Urgum.

Il plongea tête la première pour faucher les jambes de son adversaire, qui s'effondra. D'un bond, Urgum lui sauta dessus. Il était prêt à frapper. Grizelda et Molly s'étaient laissées glisser de l'arbre pour accourir vers lui.

– Eh bien ? Tiens, voici Molly justement. C'est ta dernière chance : demande pardon ! exigea Urgum.

– PARDON MOLLY ! lâcha le chef des Nipeurderiens. PARDON D'AVOIR PIÉTINÉ TES FLEURS. JE SUIS DÉSOLÉ. JE SUIS DÉSOLÉ. JE SUIS DÉSOLÉ.

– Ça va, glissa Molly en haussant les épaules. Je suis sûre que c'était un accident. On ne va quand même pas en faire un fromage.

Urgum abaissa sa hache et se releva. Le chef des Nipeurderiens en profita pour déguerpir. Ses acolytes lui emboîtèrent le pas, laissant de longues traînées de sang derrière eux. Urgum, Molly et Grizelda les regardèrent s'éloigner et disparaître dans le Désert perdu. Là-haut, dans le ciel, Djinta et Percy les suivaient patiemment à la trace. Quant au traître qui s'était glissé dans le dos d'Urgum pendant le combat, il se traînait à grand-peine. Les vautours se pourléchaient le bec en le surveillant : au menu de leur dîner, les hors-d'œuvre étaient quasiment prêts.

– Voilà Molly, conclut Urgum. Au moins, tu auras eu des excuses.

– Regarde ton épaule, Papa ! s'écria sa fille. Est-ce que tu as mal ?

– Bah oui ! bien sûr, répondit Urgum en pliant le bras. Ça sert à rien d'être courageux si des trucs comme ça ne font pas un peu mal. Mais allez, rentrons plutôt à la maison avant que les autres n'arrivent.

– Quels autres ? demandèrent Molly et Grizelda d'une seule voix.

– Mais enfin, vous savez bien, fit Urgum. Les autres ! Vous avez dit qu'ils étaient sept. Le reste sera bientôt là.

– Papa ! soupira Molly. Ils étaient tous là. Tous les sept.

– Ne mens pas à ton père ! Je sais ce que ça représente sept ! Il faut sept hommes pour recouvrir entièrement un flanc de coteau. Jadis, j'ai combattu sept hommes, c'était l'armée de Magoune.

– Urgum, c'était *sept cents* hommes ! corrigea Grizelda.

– Et alors, ça change quoi ? demanda Urgum.

– Tout ! répondit Grizelda.

– Ah… Pas étonnant que tu aies eu l'air un peu inquiet.

– MOI, INQUIET ? s'étouffa Urgum. Puis il se détendit et soupira. Hum… Eh bien oui, peut-être. Mais rien qu'un peu. Tout ça, c'est à cause de ces chiffres à la noix.

Urgum laissa tomber sa hache et se prit l'épaule. Le sang coulait entre ses doigts. Grizelda déchira un bout de sa manche pour l'appliquer sur la blessure.

Là-haut, dans la Demeure céleste de Sirrhus, c'était l'euphorie. Les dieux jumeaux fêtaient la victoire du plus grand Barbare que le Désert perdu ait jamais connu.

– Urgum, Urgum… ! scandait Tangal. Et dire qu'il était prêt à marcher sur sept cents Nipeurderiens !

– Hé, Nipeurdedeus ! s'écria Tangor, en lui offrant ses pieds. Viens par ici, et prépare-toi à les embrasser.

Mais Nipeurdedeus, mauvais joueur, n'était pas près de s'avouer vaincu. Il décida de reprendre les choses en main ; ou plutôt de les remettre entre les mains de quelqu'un d'autre. Alors, il se dématérialisa. Son esprit descendit sur Terre et entra dans la main coupée, qui serrait toujours la longue épée. Nipeurdedeus patienta. Il attendit qu'Urgum et Grizelda s'éloignent et aient le dos tourné pour faire léviter la main et pointer la lame vers la tête d'Urgum.

Il ajusta son coup, mais un détail d'importance lui avait échappé. Molly était allée près des rochers, où son père venait tout juste de livrer bataille. Elle essayait d'imaginer ce que l'on éprouvait lorsque l'on affrontait sept gigantesques Nipeurderiens, quand elle aperçut soudain la main coupée s'élever tout doucement dans les airs en tenant l'épée. Elle la regarda s'immobiliser, fascinée. Mais quand elle comprit que celle-ci prenait son père pour cible, ses réflexes naturels reprirent le dessus. Elle aurait pu crier. Mais non : elle souleva sa pelle et l'abattit sur les doigts criminels aussi fort qu'elle le put.

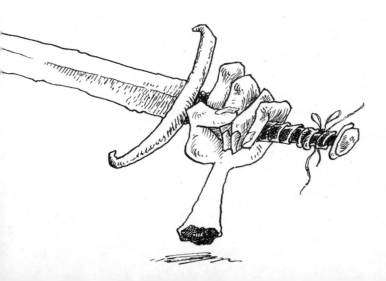

L'épée tournoya dans les airs et d'un mouvement rapide, Molly la saisit au vol, retourna l'arme contre la main et en transperça la paume. Nipeurdedeus leva les yeux vers le ciel, retentissant des éclats de rire divins. Évidemment, toutes les autres divinités avaient rejoint les dieux jumeaux pour assister aussi au spectacle.

– Regardez, fit Tangor. Le dieu des Nipeurderiens vient de se prendre une bonne déculottée. Et par qui ? Une petite fille !

– Pas étonnant, renchérit Tangal en riant. Ça a beau être un dieu, ça n'est jamais qu'un Nipeurderien, et Molly une Barbare !

Nipeurdedeus, honteux, se dématérialisa. Dans l'ensemble, cela n'avait pas été une bonne journée pour la tribu la plus enquiquinante de tout le Désert perdu.

– Allez, viens Urgum, conclut Grizelda. On ferait mieux de rentrer chez moi, où je pourrai te faire un vrai pansement. Molly, est-ce que tu peux m'aider ?

Molly accourut, brandissant l'épée, fière d'exhiber son trophée sanguinolant. Les doigts du Nipeurderien étaient encore parcourus de soubresauts.

– Voyez-vous ça ! lança Grizelda en riant.

Urgum prit Molly dans ses bras et s'écria :

– C'est bien la fille de son père.

Beaucoup
trop de cachotteries

Quand ils passèrent devant Olk, le gardien portait toujours le pansement de poils verts qu'il s'était collé sur le front pour faire une blague. Ils furent surpris de constater qu'Olk avait oublié de demander le mot de passe. Et encore plus fort : pendant les six semaines qui suivirent, la sentinelle fut plongée dans une profonde mélancolie : elle craignait de ne plus jamais trouver une blague aussi hilarante de sa vie.

Tout en montant les marches qui conduisaient chez Grizelda, Molly maintenait sur la blessure de son père la petite compresse de tissu qui ne parvenait plus à absorber le sang qui coulait goutte à goutte. Grizelda les avait devancés et était déjà entrée pour faire chauffer une potion qui aurait raison de son mal. Et c'est alors que Divina rappliqua, impatiente de savoir ce qu'il s'était passé.

– Oh, si tu avais vu P'pa, M'man ! s'enthousiasma Molly.

– Oh, mais je le vois ! glissa Divina d'un air sévère. Et pour sûr, ce n'est pas la dernière fois.

– M'man, il a tout simplement été TROP COOL ! renchérit Molly.

– Tiens, c'est bizarre, ça ne m'a pas frappé. Se faire ôter un bout de chair du bras de l'épaisseur d'un steak, ce n'est pas vraiment ce que je qualifierais de COOL, trancha Divina en examinant la blessure de son époux.

– Rrrohhh… allez quoi, insista sa fille. Si tu avais vu comment il leur a tenu tête, à ces sept Nipeurderiens ! Surtout qu'il croyait qu'ils étaient sept cents !

– Ça me semble un peu idiot, si tu veux mon avis, ajouta Divina. Bon, je crois qu'il vaudrait mieux que je trouve de quoi faire un bandage digne de ce nom.

Divina s'éclipsa en prenant soin de dissimuler le large sourire qui trahissait la fierté qu'elle éprouvait. Molly décolla avec précaution le linge qui couvrait la plaie d'Urgum, pour constater, soulagée, que le pire était passé. Le saignement diminuait.

– Bah moi ! en tout cas, je t'ai trouvé vraiment cool, dit-elle.

– Oh ! ce n'est rien, vraiment, fit Urgum, modeste. Surtout que toi et Grizelda étiez là pour me prêter main-forte.

– Qu'est-ce qu'on a fait ? demanda Molly.

– Tu n'as pas vu Grizelda avec son arc et ses flèches ?

– Je croyais que tu trouvais ça nul ?

– Mmouih, c'est bon pour les fillettes… Enfin, je ne sais pas comment elle se débrouille, mais elle fait des miracles avec. Je ne l'ai même pas vue décocher sa flèche quand elle a touché le Nipeurderien pour la première fois. Il était tellement loin… Si elle l'avait juste égratigné, il se serait enfui en t'emportant avec lui ; s'il était mort sur le coup, tu aurais aussi pu tomber tête la première sur les cailloux, et si elle t'avait touchée… Bon, bon, bon… Vraiment, réussir à lui faire mordre la poussière en douceur, comme ça… Pfouih… C'était un coup de maître !

Urgum tourna la tête, jeta un œil à l'entrée de la grotte de Grizelda, puis se pencha d'un seul coup vers sa fille pour lui chuchoter à l'oreille :

– Est-ce que tu peux garder un secret ?

Molly hocha la tête.

– J'vais te dire, Grizelda est la plus redoutable archère que j'ai jamais connue. Personne ne lui arrive à la cheville. Ce qu'elle est capable de faire avec son arc, là… Même pas en rêve.

Urgum prit une inspiration, puis conclut :

– Mais, je te préviens : tu lui répètes ce que je viens de te confier, tu es morte.

À sa grande surprise, Molly s'écroula de rire. Juste au moment où une silhouette familière apparut au milieu du bassin. Elle était juchée sur un bœuf.

– Mongoïd ! lança Molly qui courut à sa rencontre. Où étais-tu passé, mon horrible chose adorée !

– Chuuut ! répondit Mongoïd, en descendant de sa monture. Est-ce que tu peux garder un secret ?

Molly hocha la tête. Elle commençait à devenir experte en secrets. Il lui fit signe de faire le tour du bœuf pour ne pas être vue d'Urgum, au cas où ce dernier tournerait la tête. Il ouvrit son baluchon, et très précautionneusement, en sortit un petit cadeau enveloppé dans de la soie qu'il donna à Molly.

– C'est pour toi, dit-il l'air tout chose. Je viens de le trouver au marché.

Molly déballa le cadeau avec soin, et elle découvrit un petit pot contenant une rose des sables de couleur violette. Elle était magnifique.

– Waouh ! Merci Mongoïd, sourit-elle. Elle est super. Mais pourquoi ?

– C'est pour m'excuser d'avoir écrasé l'autre…

Molly en eut le souffle coupé.

– Alors, c'était toi !

– Surtout ne t'avise pas d'aller raconter à Urgum que je me suis mis à acheter des petites fleurs, la pria Mongoïd. Ou alors tu es morte.

– Entendu, le rassura la petite fille.

Elle était sur le point de filer chez elle pour aller cacher son cadeau, quand tout à coup, une pensée espiègle lui traversa l'esprit :

– Je vais te faire une confidence Mongoïd, chuchota Molly. Jamais je n'aurais imaginé que tu puisses m'offrir une rose des sables à moi, plutôt qu'à Grizelda…

– Mais… Mais… Pourquoi voudrais-tu que je fasse cadeau de quoi que ce soit à Grizelda…, fit Mongoïd, d'une voix de plus en plus faible. Puis, il regarda ses énormes pieds qu'il cogna l'un contre l'autre.

– Mmouih… C'est que, justement, j'y pense. Mais ça aussi, c'est un secret, et si tu t'avises de le répéter à qui que ce soit, tu es doublement morte !

– Je vois, Mongoïd, sourit Molly en lui serrant amicalement le bras, avant de s'en aller à toute allure.

Après avoir caché la rose en lieu sûr, dans sa chambre, Molly traversa le living, où elle percuta Divina. Celle-ci était penchée au-dessus d'un profond coffre en bois dans lequel elle fouillait pour trouver de quoi faire un bandage à Urgum.

– Franchement, M'man, lâcha Molly, de mauvaise humeur. Tu pourrais quand même être un peu plus gentille avec Papa. Tu sais, il m'a sauvé la vie.

Sa mère releva la tête et esquissa un timide sourire.

– Est-ce que tu peux garder un secret ? demanda-t-elle à sa fille.

Celle-ci hocha à peine la tête, cette fois-ci. Ces secrets commençaient à être lourds à porter pour son petit crâne.

– Ça ne fait aucun doute, il t'a vraiment sauvé la vie, reconnut Divina tout en s'enfonçant à nouveau dans le coffre. C'est d'ailleurs la raison pour laquelle il n'est pas juste « cool », mais bien le papa le plus cool de tout le Désert perdu.

– Mais pourquoi tu ne peux pas le lui dire, alors ? répliqua Molly.

– C'est difficile à exprimer, fit Divina en baissant les yeux. S'il savait combien je l'admire en réalité, il attraperait la grosse tête, et il en deviendrait insupportable. Et là, je n'aurais qu'une envie, le tuer ou pire encore…

Divina sortit du coffre une pièce de tissu d'un blanc éclatant. Puis elle se redressa et se tourna vers Molly, qui comprit le sérieux de la situation.

– Voilà pourquoi je ne lui ai jamais dit ce que je pensais de lui, et voilà pourquoi tu ne le lui diras pas non plus, expliqua-t-elle d'un ton neutre.

Lorsque Molly et Divina reparurent devant Urgum, Grizelda était assise à côté de lui. Les coupes-de-nouilles aux yeux immenses avaient apporté un chaudron de potion d'où s'échappait de la fumée. Ils l'avaient posé avec précaution avant de repartir à toute vitesse se réfugier dans les ténèbres. Mongoïd, qui venait d'attacher

son bœuf, se dirigea à grands pas vers ses amis. Il avait plaqué ses trois cheveux vers l'arrière, ce que Molly remarqua au premier coup d'œil.

– Eh bien… Ton épaule est dans un sacré état, dit Mongoïd. Allez… Raconte-moi tout. Tu as pris un peu de bon temps ?

– Des Nipeurderiens ont piétiné le parterre de fleurs de Molly et ils ne voulaient pas s'excuser, expliqua Urgum.

– Oups… lâcha Mongoïd qui fit son possible pour ne pas rougir. Euh… Je voulais dire : AH BON ? Dis donc, les Nipeurderiens, c'est vraiment la plaie à la fin. J'espère que ça fait pas trop mal, quand même…

– Aïeeaaaah ! hurla Urgum.

Grizelda venait juste de lui éclabousser l'épaule avec un peu de sa potion bouillante.

– Cesse de geindre ! On dirait un gros bébé, le réprimanda-t-elle alors qu'une vapeur bleue s'échappait de sa blessure et s'envolait dans les airs. Ah ! franchement, si tu oubliais un peu ta stupide vieille hache de temps en temps, on n'en serait pas là !

– Oui, eh bien, la prochaine fois, tu n'auras qu'à te rendre utile avec tes stupides petites flèches qui font « chpling » !

– Enfin, elle, au moins, elle n'est pas stupide au point de se faire trancher en rondelles, s'exclama Divina tout en resserrant le bandage plus que nécessaire.

– Oh ! moi, je dis que tout ça, c'est de la faute des Nipeurderiens qui ont piétiné le parterre de fleurs, déclara Mongoïd.

Molly en avait assez entendu.

– Hé, écoutez-moi bien, vous autres ! s'écria Molly. L'un d'entre vous m'a raconté un secret, aujourd'hui. Ça vous plairait de l'entendre ?

– Essaye un peu pour voir ! s'exclamèrent Urgum, Grizelda, Divina et Mongoïd comme un seul homme, tandis que chkling, pling, bing… Les cheveux de Mongoïd se tinrent de nouveau au garde-à-vous.

Les quatre compères se retournèrent tous les quatre et fusillèrent Molly du regard.

– C'était juste une blague ! s'exclama-t-elle avant de s'écrouler de rire.

QUATRIÈME PARTIE

LA GUERRE DES TAXES

PALAIS LAPLAIE

Une visite de courtoisie

Un matin de bonne heure, Molly, assise sur son lit, était occupée à compter les pièces de son petit trésor. Bien qu'en réalité elle sût exactement combien elle en avait. Un, deux, trois, quatre, cinq, six… Sept tannas de bronze. Avec onze de plus, elle en aurait dix-huit. Ce qui faisait la moitié d'un tanna d'argent. Molly était si excitée par cette idée qu'elle se mit à recompter ses sous. Quand tout à coup…

"ARGHHHHH ! "

C'était Urgum. Et cela provenait de la porte d'à côté. Molly remballa à toute vitesse son butin dans la pièce de velours, et fonça dans la chambre de ses parents pour voir ce qui se passait. Elle ne s'était pas trompée. Urgum, assis par terre, tenait son pied entre ses deux mains et suçait son gros orteil. À côté de lui gisait sa grosse hache. Divina, quant à elle, était assise à sa coiffeuse, et s'arrangeait les

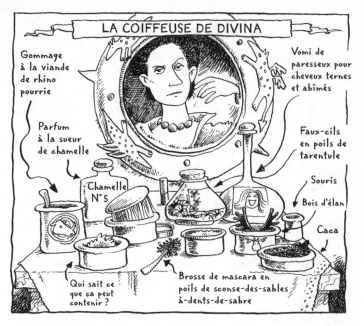

LA COIFFEUSE DE DIVINA

Gommage à la viande de rhino pourrie

Vomi de paresseux pour cheveux ternes et abîmés

Parfum à la sueur de chamelle

Faux-cils en poils de tarentule

Chamelle N° 5

Souris

Bois d'élan

Caca

Qui sait ce que ça peut contenir ?

Brosse de mascara en poils de sconse-des-sables à-dents-de-sabre

cheveux, sans prêter la moindre attention aux singeries de son mari.

– Ne me dis pas que tu t'es encore cogné le pied contre ta hache ! Et que tu t'es fendu le gros orteil dans le sens de la longueur !

– Mmmm… Mmmm… Mmmm…

– Ça t'apprendra à laisser traîner tes affaires n'importe où, lui lança Divina.

Urgum lécha une dernière fois son orteil meurtri, puis tira sa langue pleine de sang, en direction de Divina. Il se tut, mais ce qu'il voulait exprimer était évident :

« Depuis ta crise de grand nettoyage, il n'y a plus un endroit pour la ranger. » Pour toute réponse, elle haussa le sourcil gauche. Ce qui revenait à lui hurler dessus, mais bien sûr en silence : « Ce n'est pas moi qui jette tous les soirs cette grosse hache toute sale par terre juste à côté du lit et qui, au petit matin, oublie qu'elle est là. »

– Bon, si vous avez fini de vous disputer…, intervint Molly, mettant ainsi un terme à ce dialogue de sourds-muets, je repars compter mon argent.

– Compter ton argent ? marmonna Urgum. Pfff… Quelle perte de temps.

– Mais j'aurai bientôt un tanna d'argent ! s'exclama-t-elle en traçant des traits à l'aide d'un bâton sur le sol poussiéreux : quelques petits coups par-ci quelques petits gribouillis par là et hop !, son calcul était terminé. Il ne me reste plus qu'à gagner vingt-neuf tannas de plus.

– Ne va pas te fourrer là-dedans ! lui souffla Urgum qui était enfin parvenu à se redresser. Il clopinait en direction du lit pour s'y asseoir. L'argent, c'est juste un tas de trucs avec des chiffres pour rendre les Mains-douces heureux. Si l'un d'entre eux en a plus qu'un autre, alors, il croit que ça fait de lui quelqu'un de meilleur. Cette obsession des chiffres, ça n'apporte que des ennuis.

– Je pensais que tu aimais ça, les ennuis.

– C'est vrai, convint-il en mettant ses bottes. Mais ce n'est pas pareil : moi ce qui m'intéresse ce sont les vrais ennuis. Rien à voir avec ces petites tracasseries qui

consistent à se demander qui est le plus riche.

– Mais si j'avais de l'argent, je pourrais t'acheter un cadeau, fit-elle en brandissant sa petite bourse pleine de pièces. Qu'est-ce qui te ferait plaisir ?

– Une bonne vieille bagarre, répondit Urgum en souriant de toutes ses dents.

– Oh ! là, là ! je ne sais pas si l'argent peut acheter ça, moi !

Urgum soupira :

– Je me tue à le répéter : à quoi ça sert l'argent si on ne peut pas se payer ce que l'on veut avec.

Juste à ce moment-là, Molly songea à une chose qui ferait très plaisir à son père. Et cela ne coûtait que cinq

tannas de bronze. Elle glissa sa bourse dans sa poche ;
ainsi, la prochaine fois que les colporteurs passeraient,
elle serait toute prête.

KA-BO ÏÏÏÏÏÏÏNNNNNNNNG !

Un bruit roula soudain dans la caverne. Il était énorme.
Tellement énorme qu'il eut du mal à se frayer un chemin
jusqu'au fond. Il y parvint péniblement en rebondissant,
puis tourna à gauche après les arcades, tituba le long du
corridor, débula dans la chambre d'Urgum et de Divina,
alla se cogner contre le plafond où il manqua d'estourbir
une araignée qui, d'un seul coup, se laissa glisser jusqu'au
crâne de notre sauvage.

– Le carillon ! Il y a quelqu'un à la porte ! s'exclama
Divina. Et elle jeta sa brosse sur sa coiffeuse. Elle sortit de
la chambre et fila vers l'entrée de la
caverne tout en ajustant ses boucles
d'oreilles.

– Carillon… Pffff, ridicule !
Elle pourrait quand même
lui donner un autre nom,
commenta Urgum, qui lui
emboîta le pas avec Molly.
Tu parles, ça fait un bruit de
quincaillerie.

Et pour cause… Olk venait

de fracasser son assommoir à éléphant sur le gong, qui pendait sur le sentier menant au bassin. Les dernières vibrations s'évanouissaient. Des plumes de vautours tournoyaient dans les airs. Par terre, un grand squelette claquait des dents.

Les garçons étaient assis devant l'entrée de la caverne, et tuaient le temps en jouant à se lancer des scorpions. Lorsqu'il entendit le gong, Ruinn se leva et traversa le bassin en traînant des pieds pour aller voir qui était là.

– Juste une de ces snobinardes sur son cheval, annonça-t-il à son retour avec désinvolture. Et du palais, s'il vous plaît !

– Du palais ? s'étrangla Divina. Non, mais vraiment, ils auraient pu nous prévenir quand même.

Sur quoi elle disparut dans sa chambre pour se faire encore plus présentable qu'elle ne l'était.

– Elle a l'air un peu bizarre, poursuivit Ruinn, en se laissant tomber bruyamment sur le sol à côté de ses frères. Pas vraiment une sauvage, et encore moins une Main-douce.

Urgum sortit le nez au-dehors et scruta le chemin qui menait vers l'entrée du monolithe d'un air interrogateur. Quand il aperçut la « personne » qui se tenait devant Olk, un grand sourire illumina son visage. Ses cheveux blancs et raides étaient impeccables. Elle portait la robe vert et or du palais Laplaie. Ses yeux trop grands, son dos trop allongé et ses jambes trop courtes trahissaient une réalité évidente : il s'agissait là d'un spécimen de sexe féminin très peu ordinaire.

– Waouh ! lança Urgum. Ils ont envoyé une damezarlaide !

– Mais qu'est-ce que c'est que ça ? s'étonna Molly qui l'avait rejoint.

– Moitié femme, moitié lézard. Elles sont aussi dures qu'elles en ont l'air, précisa-t-il. Qu'est-ce qu'elle peut bien venir faire par ici ?

Entre-temps, tous les garçons avaient braqué les yeux sur l'entrée de Golglouta. La damezarlaide ne portait ni le casque des gardes de Laplaie, ni l'insigne de l'intendant du palais. En revanche, elle avait un étrange livre coincé sous le bras gauche.

– Mot de passe ? tonna la sentinelle.

La damezarlaide demeura impassible.

– C'est moi qui pose les questions, déclara-t-elle d'un ton calme et autoritaire à la fois en s'emparant du livre.

Elle l'ouvrit et parcourut quelques pages noircies de denses gribouillis. Puis, elle fit glisser un de ses gros doigts griffus jusqu'au bas d'une liste de noms et commanda à haute voix :

– Qu'Urgum, fils d'Urgurt, se fasse connaître.

Après quoi, elle se rassit confortablement sur la selle de sa monture, s'attendant sans doute à ce qu'on lui obéisse sur-le-champ.

– Hep, P'pa ! C'est toi qu'elle veut voir.

– Vouih, bah ! pour le moment, je suis un peu occupé, répondit Urgum, ce qui était le cas. Car Rick et Rack avaient réussi à lui lancer dans le cou un scorpion vivant. Urgum sautillait en essayant de l'attraper. D'une main, il explorait le haut de sa tunique, de l'autre, le bas.

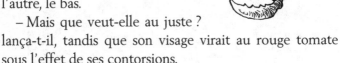

– Mais que veut-elle au juste ? lança-t-il, tandis que son visage virait au rouge tomate sous l'effet de ses contorsions.

Rick et Rack, de leur côté, étaient hilares.

– Qu'est-ce que j'en sais moi ! répondit Ruff.

– Eh bien, va lui demander, nom de nom ! insista Urgum.

Soupirant tel un adolescent que tout ennuie, Ruff se releva et traîna les pieds jusqu'à l'entrée du monolithe. Il n'avait pas envie de passer devant Olk à cause de cette histoire de mot de passe. Cependant, son intérêt pour cette drôle de personne à cheval fut le plus fort. Il s'aventura en dehors de l'enceinte du monolithe et s'approcha de la damezarlaide. Un de ses énormes yeux roula et vint poser sur Ruff un regard glacial. Ce qui ne sembla pas perturber l'autre œil qui, lui, resta immobile.

– Que voulez-vous ? lui lança-t-il.

– Êtes-vous Urgum, fils d'Urgut ? fit-elle calmement.

– Non, lâcha Ruff.

La femme-lézard commençait vraiment à lui taper sur les nerfs. Mais, c'était décidé, il ne se laisserait pas marcher sur les pieds.

– Si vous voulez lui parler, il faut d'abord en passer par moi.

– Certainement pas, répondit la damezarlaide, d'un ton cassant. Je suis venue voir Urgum, fils d'Urgut. Amenez-le-moi.

– Eh bien, il est très occupé là, rétorqua Ruff. Alors, allez vous faire pendre ailleurs.

BADABOUM BOUM BOïïïïïNNNNNNG !

Ruff ne vit pas le coup partir. La grosse chose verte qui lui frappa la poitrine le fit décoller du sol et plonger tête la première sur le gong d'Olk.

– Waouh, joli coup ! rugirent les autres, qui s'étaient mis à l'abri derrière Olk, pour voir leur frère aîné se ridiculiser une fois de plus.

La damezarlaide ramena nonchalamment sa longue queue sous sa robe,

puis passa sa langue noire et fourchue dans sa chevelure pour se recoiffer. Elle leur lança un regard mauvais.

– J'attends Urgum, fils d'Urgut, répéta-t-elle, en tapotant le livre de ses doigts boudinés. Mais d'abord, dites-moi, qui est cet individu ?

Elle regardait Olk comme si elle venait de le découvrir. Les muscles de tout son large dos se raidirent, tandis que la pointe de sa longue épée qui reposait contre son épaule commençait à vibrer.

– C'est Olk ! s'empressèrent de répondre Rick et Rack.

Tous les garçons reculèrent de quelques pas au cas où la lame se mettrait à tournoyer dans les airs. Mais la damezarlaide, elle, ne cilla pas.

– Olk, reprit-elle, d'un air pensif en le surveillant d'un œil, pendant que l'autre était occupé à chercher dans les pages de son livre. Olk de Golglouta... Oui, le voilà. Revenu... Zéro. On ne va pas tirer grand-chose de vous, je me trompe ? Alors, du calme mon gros, vous n'avez rien à craindre.

Un grondement sourd, presque inaudible résonna dans les entrailles d'Olk. La lame pencha légèrement, puis s'arrêta tout à fait. Les garçons haletaient. Était-ce leur imagination, ou Olk s'était-il vraiment calmé ?

– Merci, marmonna la sentinelle.

– Gardez vos remerciements, fit la damezarlaide. L'équité est notre devise. Nous ne prenons que ce qui nous revient.

L'air bruissait du murmure des garçons. Avaient-ils rêvé, ou avaient-ils vraiment entendu Olk dire « merci » ? Qui était cet étrange émissaire ? Ils devaient en avoir le cœur net.

– Papa ! s'exclamèrent-ils. Viens par ici. On te demande TOUT DE SUITE !

Et c'est là que Divina, impeccable, sortit de la caverne. Elle était folle d'impatience à l'idée de rencontrer cette mystérieuse personne envoyée par le palais. Apercevant Urgum allongé par terre, qui faisait des bonds sur le dos, elle l'interrogea :

– Qu'est-ce que tu fabriques au juste ?

– Il y a un scorpion sous ma tunique et j'essaye de l'écrabouiller.

– Ce n'est pas le moment, le rabroua Divina d'un ton sec tout en l'aidant à se hisser sur ses pieds. Nous avons de la visite.

– Arrrgh, je crois qu'il a glissé dans mon pantalon…

Urgum commença à défaire la boucle de son ceinturon. Mais Divina lui donna une grande tape sur les mains pour l'en empêcher. Puis, en un éclair, elle racla la crasse qui noircissait ses oreilles et essuya la tache de sauce qui lui ornait le menton.

– MMMmmm… fiche-moi la paix ! grommela-t-il.

– Elle vient du palais ! siffla Divina. Et pour une fois, ce serait bien de faire bonne impression. Alors, je t'en prie, ne me laisse pas tomber maintenant.

Urgum s'avança très doucement pour ne surtout pas déranger l'intrus à huit pattes et deux pinces et son dard venimeux. Il se risqua devant Olk et toisa cette femme à l'air sévère qui attendait, juchée sur son cheval. Même s'il avait beaucoup de respect pour les damezarlaides, Urgum n'aimait pas beaucoup les fonctionnaires du palais. Aussi décida-t-il de lui faire la tête, ce qui était un peu étrange car Divina, qui se tenait à ses côtés en parfaite hôtesse, lui souriait de la manière la plus aimable.

– C'est moi, Urgum, fils d'Urgut, grogna-t-il. Et vous, qui êtes-vous ?

– Je suis l'inspectrice en chef de l'hôtel des impôts du palais Laplaie.

– Et alors… ? lâcha Urgum en essayant de ne pas prêter attention à la désagréable sensation de déman-geaison qui lui envahissait le bas-ventre.

– Nos registres montrent que votre foyer perçoit des revenus.

– Je n'ai jamais gagné un sou de toute ma vie, déclara Urgum fièrement. Tout ce que je fais, c'est manger, dormir, me battre, et chanter des chansons paillardes à tue-tête de temps en temps pour énerver ma femme.

Divina eut un drôle de rire forcé.

– Oh ! mon époux est un grand taquin, gloussa-t-elle mortifiée. Il ne faut surtout pas le croire.

– Mais je ne le crois pas, fit la damezarlaide d'un ton cassant.

L'un de ses yeux oscillait de Divina à Urgum, tandis que l'autre se concentrait sur la liste.

– D'après notre registre nous avons une demande émanant de Suprema, l'épouse du chancelier, qui vous aurait acheté récemment des colliers de fleurs.

– Est-ce que j'ai l'air de quelqu'un qui vend des colliers de fleurs ? mugit Urgum.

Il fulminait : comment pouvait-elle insinuer une chose pareille ? Il se mit à tourner en rond en trépignant de fort mauvaise humeur. Il avait complètement oublié la présence de son petit visiteur qui commençait à en avoir assez d'être malmené dans tous les sens. Et dans le noir de surcroît ! Son dard venimeux était prêt à l'attaque.

– Je vais te faire voir, moi, aboya Urgum, que je suis le sauvage le plus redoutable que le Désert perdu eût jamais…

WAOUAÏEAÏE YOUILLOUILLE !

Et ce qui devait arriver arriva ! Le scorpion finit par piquer. Urgum s'enfuit en bondissant. Il frappait de toutes ses forces l'arrière de son pantalon pour essayer d'écraser la bestiole avant qu'elle ne le pique à nouveau.

– Je suis vraiment navrée… Veuillez l'excuser, s'étouffa Divina, rouge de confusion.

La damezarlaide n'en revenait pas. Elle suivait Urgum d'un œil, et de l'autre fixait Divina.

– On m'en a servi des excuses, des plus tristes aux plus lamentables, pour ne pas payer d'impôt, lui confia la damezarlaide. Mais alors ça… ! J'avoue que c'est la première fois que je vois quelqu'un tourner en rond au pas de course en se donnant de grandes tapes sur les fesses.

– Il est tordant, n'est-ce pas ? tenta Divina qui cherchait désespérément à sauver les apparences, en feignant de prendre tout ça à la rigolade.

Urgum atteignit le mur d'enceinte du monolithe et se frotta les fesses de bas en haut.

– Ah… Sacré Urgum, qu'est-ce qu'il ne ferait pas pour nous amuser.

– Comme… faire des bijoux avec des fleurs ? remarqua la damezarlaide sèchement.

– Oh, non, répondit Divina. Ça c'est ma fille Molly. Il faut que je vous la présente ! MOLLY !

Molly se tenait depuis un moment derrière Olk, en compagnie de ses frères. Lorsqu'elle entendit son prénom, elle rejoignit Divina et l'étrange dame du palais en sautillant.

– Voici Molly, ma fille, annonça Divina, très fière. Elle se débrouille tellement bien avec ses fleurs ! Elle fait des choses charmantes.

– Et elle les vend ?

– C'est ça, confirma Molly, en sortant ses petites économies de sa poche. Elle dénoua le tissu dans lequel elle les avait cachées pour les lui montrer.

– Jusqu'à aujourd'hui, j'ai réussi à gagner sept tannas de bronze.

Pour la première fois, les yeux de la damezarlaide regardèrent dans la même direction en même temps pour se fixer sur les pièces de Molly. Elle fit danser sa langue noire sur le pourtour de ses lèvres avec une franche avidité. Puis, un de ses yeux se concentra à nouveau sur son registre.

– C'est tout ? Rien d'autre à déclarer ? marmonna-t-elle.

On lisait dans son regard ce qu'elle se disait. Vraiment, cela ne valait pas le détour !

– Bon, eh bien maintenant, vous voilà sur les registres officiels. Alors, bienvenue dans le système.

– Qu'est-ce que ça veut dire ? fit Molly.

– Ta maman ne t'a-t-elle pas expliqué comment les choses fonctionnent dans une société civilisée ?

– Bien sûr que si, intervint Divina qui bouillait intérieurement. Et, ça la fascine beaucoup, hein, Molly ?

Molly esquissa un sourire timide, tout en se demandant si sa mère n'était pas devenue folle.

– Vous comprendrez que ces tannas sont considérés comme un revenu, expliqua la damezarlaide, qui fixait toujours les pièces de Molly de son œil torve. Par conséquent, vous avez le devoir de nous en reverser la moitié, au titre de l'impôt.

– L'impôt ? s'exclama Molly. Mais c'est quoi, ça ?

– Aïe ! ça se corse, grinça Divina qui se sentait mal à l'aise.

Il est vrai qu'elle avait abordé avec sa fille certains aspects de la vie dans une société civilisée. Comme, par exemple, l'histoire du fameux palais taillé dans la masse d'un rubis géant. Ou bien les mets exquis, les coussins de satin aussi gros que des éléphants. Il y avait, en revanche, certaines choses qu'elle n'avait pas encore pris la peine d'expliquer comme, justement, le système d'impôt.

– La moitié de tout gain en espèces doit être reversé à l'État, expliqua la damezarlaide.

– HA HA HA ! s'esclaffèrent les garçons qui se trouvaient toujours derrière la sentinelle.

– Mais pour quoi faire ? demanda Molly.

– Pour financer le Service public enfin, ma chérie, expliqua Divina avec douceur.

– Le Service public ? C'est quoi, ça ? lâcha Molly en promenant son regard tout autour d'elle. Il n'y avait pas la moindre trace de Service public à Golglouta.

– Sans Service public, nous n'aurions ni palais, ni princesse, tu vois ? tenta Divina.

– Mais Maman, nous, on n'a ni de palais ni de princesse ici ! s'exclama Molly. Tout ce qu'on a, c'est une caverne et une bande de garçons qui... snif... snif... ne sentent pas très bon !

– Euh, mais..., bégaya Divina qui se creusait la cervelle pour tenter de démontrer en quoi payer des impôts était si merveilleux. Les impôts servent à payer toutes sortes de personnes importantes que l'on ne voit jamais, mais qui font un travail indispensable, comme... hum, voyons... faire des listes avec des noms de personnes...

– Ah ouais ? lança Molly, qui n'était pas convaincue.

– Mais oui, répondit Divina du tac au tac. Et après, d'autres gens vérifient les listes, et puis d'autres encore les comptent pour être sûrs qu'ils en ont assez...

À ces mots, Urgum se mit à rire :

– Et en fin de compte, les impôts servent surtout à payer... les collecteurs d'impôts !

Molly se retourna et vit son père marcher dans leur direction en frottant son arrière-train. Il tenait un scorpion mort entre le pouce et l'index.

– J'ai pourtant essayé de te mettre en garde au sujet de l'argent, Molly ! dit-il en affichant un large sourire. Ça n'apporte que des ennuis.

Molly regarda avec dépit les sept petites pièces au creux de sa main.

– Alors comme ça, il faut que je me sépare de la moitié de mon argent, c'est bien ça ? demanda Molly. Mais vous ne pouvez pas me prendre la moitié de sept pièces.

– Mais si, affirma la damezarlaide. Vous devez 3,50 tannas de bronze.

– C'est vrai, Papa ? s'indigna Molly.

– Demande à ta mère. C'est elle, la civilisée, ici.

Divina en avait la gorge serrée. Lorsqu'elle était enfant, elle avait toujours eu tout ce qu'elle voulait sans se soucier de savoir d'où provenait l'argent qui permettait de satisfaire ses désirs. Maintenant qu'elle le savait, elle se sentait minable.

– Est-ce qu'il faut vraiment que je paye ? demanda Molly à sa mère.

Divina hocha la tête tristement. Elle se sentit encore plus coupable lorsqu'elle vit Molly hausser les épaules et tendre à la damezarlaide ses petites pièces durement gagnées.

– Ce n'est pas à moi de les prendre, rétorqua la damezarlaide. Nous avons un département de collecteurs généraux prévu à cet effet.

– D'abord les inspecteurs, ensuite les collecteurs. Pas étonnant qu'on paye autant d'impôts, s'énerva Urgum. Pourquoi ne les prenez-vous pas vous-même pour économiser un voyage à vos collègues ?

– Mmmouih, ça pourrait se faire, concéda la créature.

– Eh bien, moi, je ne vois toujours pas comment vous vous débrouillerez pour me prendre trois tannas et demi, insista Molly.

– Eh bien, c'est très simple, affirma l'inspectrice. J'en

prends quatre. Comme ça, la dette est effacée.

Molly prit quatre de ses piécettes et les déposa au creux de la vilaine main que lui tendit la damezarlaide. Les doigts boudinés de la créature se refermèrent sur le butin et le firent glisser dans un petit étui accroché à sa ceinture. Elle sortit un crayon de plomb, traça un trait dans son registre, et abandonna Molly avec les trois tannas de bronze qui lui restaient.

– Attendez une minute ! lâcha brusquement Urgum. On ne me la fait pas à moi ! J'ai bien vu que vous aviez pris plus de pièces que vous ne lui en avez laissé !

– Elle aura un avoir, dit la damezarlaide tout en continuant à écrire sur son registre. « La moitié d'un tanna de bronze pour le compte de Molly de Golglouta. » Voilà ! C'est fait, vous êtes enregistrés. Vous recevrez la visite du collecteur de temps à autre. Vous saurez quoi faire, maintenant.

Divina s'efforçait, en n'importe quelles circonstances, de jouer les hôtesses modèles avec des « Merci d'être passé » et « je vous en prie, revenez quand vous voulez ». Mais toute cette histoire lui paraissait si injuste qu'elle en perdait un peu son latin. Et à sa grande surprise, c'est Urgum qui accomplit les politesses d'usage.

– Hey ! fit-il en montrant la dépouille du scorpion. Ça vous tente ?

Les yeux de la damezarlaide s'ouvrirent tout grands et l'espace d'un instant, la créature eut presque l'air de sourire.

– Tenez ! s'exclama Urgum en jetant l'animal dans sa direction.

Et schlack… ! Sa langue noire attrapa l'insecte au vol, le tira vers sa bouche où il disparut dans un bruit de gâteau sec écrasé.

– Merci, lança-t-elle, étonnée. Très gentil de votre part. J'étais loin de penser que les Barbares pouvaient être des gens si… Comment dire… Euh… *Civilisés ?*

– Oh ne m'en parlez pas ! Nous sommes tellement raffinés que nous nous étonnons nous-mêmes, parfois… Humm… N'est-ce pas, très chère ? dit Urgum en donnant des coups de coude à Divina, qui ne pipait mot.

Elle était en état de choc. Son visage arborait un sourire figé, qui lui donnait un air bête à manger du foin.

La damezarlaide s'engagea dans l'allée des Sourires. Les garçons et Molly s'étaient bouché les oreilles et avaient fermé les yeux : cette fois, ils s'attendaient au pire. Et ils avaient raison !

– **URGUMMMMMMMMM** ! se déchaîna enfin Divina.

Elle cria si fort que même le gong d'Olk en fut jaloux : il ne serait jamais capable de produire un tel bruit.

– Plaît-il ? répondit-il avec calme, en tentant de réprimer un ricanement.

– Comment… Mais comment as-tu osé ? hurla-t-elle. Elle est envoyée par le PALAIS et tu lui donnes un SCORPION MORT à manger !

– Tous les goûts sont dans la nature, y compris dans notre désert, expliqua Urgum. Or, il se trouve, très chère, que le scorpion est le mets préféré des damezarlaides. Qu'est-ce que tu veux… Tu as vu comme elle l'a englouti, non ?

Divina soupira d'un air pensif.

– Tu as raison, admit-elle.

Elle commença à se détendre et se fendit même d'un sourire. Et ce n'était pas un de ces sourires à la noix qui veut dire « Comme-c'est-charmant-d'être-passé-nous-voir-et-d'avoir-fait-tout-ce-chemin-depuis-le-palais ». Non, c'était un vrai sourire, sincère, avec des yeux ronds comme des billes, le genre qui rendait Urgum tout chose et le faisait rire bêtement.

– Merci mon Gu-gum, souffla-t-elle en lui caressant le bras du bout de l'index. Je suis sûre qu'on lui a fait bonne impression en fin de compte.

Contente et satisfaite, Divina passa devant Olk et les garçons (lesquels ne la virent ni ne l'entendirent puisqu'ils avaient toujours les oreilles bouchées et les yeux fermés) pour rejoindre la caverne. Urgum voulut lui emboîter le pas, mais Molly le retint.

– P'pa ? l'interrogea-t-elle suspicieusement. Est-ce que tu étais gentil pour de vrai avec cette femme-lézard ?

– Gentil ? pouffa Urgum. Écoute, est-ce que tu crois vraiment que ton vieux père pourrait être gentil avec quelqu'un qui vient de faucher son argent à sa petite fille ?

– Mais tu lui as donné ce scorpion ? insista Molly. Et tu as dit que c'était son repas préféré.

– C'est vrai. Mais, toi Molly, dis-moi quel est ton plat préféré ?

– Des ailes de canard grillées, s'exclama-t-elle.

– Et qu'est-ce que tu penserais d'ailes de canard grillées qui auraient mariné dans le fond de mon pantalon tout un après-midi ?

– Beurk ! trop dégueu, conclut Molly avant de cracher par terre tant cette idée lui répugnait.

– Alors espérons que ta mère ne découvre jamais dans quel recoin de mon anatomie je suis allé repêcher ce scorpion, confia Urgum à sa fille.

Molly éclata de rire : toute cette histoire valait bien quatre tannas de bronze !

Des clients satisfaits

Trois tannas de bronze… C'est tout ce qu'il restait à Molly et il lui en fallait cinq pour acheter un cadeau à son père. Alors, elle décida, les jours qui suivirent, de vendre quelques autres babioles. Tous les matins, elle descendait le long de l'allée des Sourires en flânant jusqu'à l'embranchement. Elle s'asseyait près de l'immense vieil arbre des Sacrifices, ses petites affaires soigneusement disposées sur une pièce de tissu, juste devant elle. Malheureusement, les jours se suivaient et se ressemblaient. Oh ! il y avait bien des Barbares qui passaient de temps en temps… Mais dès qu'ils la voyaient, c'était toujours la même chose : ils enfonçaient leurs éperons dans les flancs de leurs montures et s'éloignaient à vive allure… Pensez donc ! Des fois qu'on les surprendrait à regarder des fleurs. Molly s'ennuyait ferme. Et comme elle n'avait pas grand-chose à faire, elle tuait le temps en jetant des pierres aux polygloutons qui se nourrissaient des restes de lambeaux de chair encore accrochés aux squelettes enchaînés à l'arbre. Les gros polygloutons tentaient aussi de manger les plus

petits
de leurs
congénères. Et les plus gros
d'entre eux finissaient par
ressembler à des baudruches
blanches et flasques,
recouvertes de pattes
agitées, et de
centaines de
minuscules
bouches
roses aux
dents noires aussi pointues que des aiguilles. Il était
difficile pour Molly d'imaginer spectacle plus dégoûtant,
sans doute parce qu'elle n'avait jamais essayé de leur
jeter des pierres ! Car il suffisait de bien viser pour les
faire exploser d'un seul coup, eux et toutes leurs petites
veines bleues. Mais au bout d'un moment, même ce
genre de divertissement cessait d'être drôle.

Dans ce coin de désert, l'autre attraction digne
d'intérêt était une plante qui était miraculeusement
parvenue à pousser. Le jour où Molly la remarqua, elle
ressemblait à une sorte de petit cactus gris. Celui d'après,
elle avait la taille d'un homme. Molly ne put résister à
l'envie d'aller la voir de plus près. Lorsqu'elle s'approcha,
la plante se mit à trembler et à émettre un bruit inconnu
qui ressemblait à une sorte de sifflement. Prudente, Molly

décida de garder ses distances. Deux jours plus tard, la plante avait fleuri. Elle avait atteint sa taille définitive de juppotan géant, une espèce de cactus mangeur d'homme… La fleur possédait une puissante mâchoire, qui se fondait dans le décor avec un tel art du camouflage qu'elle ressemblait à une devanture de taverne. À l'arrière, plusieurs couches de membranes rigides vibraient sous la caresse du vent du désert, imitant à la perfection le brouhaha d'un groupe d'amis rassemblés pour faire la fête, savourer une bière, un repas, tout en reprenant en chœur les accords d'une harpe et la rythmique d'un régiment de tambours. Malgré ce déploiement d'efforts, la plante n'avait pas plus de succès que Molly.

Un après-midi, pourtant, alors que Molly était sur le point de tout laisser tomber, elle vit une femme à la chevelure de feu galoper au loin. À mesure qu'elle s'approchait, Molly la reconnut. C'était Grizelda Barbirella ! Or, parfois, celle-ci avait de l'argent. Peut-être manifesterait-elle un peu d'intérêt à Molly en lui achetant quelque chose ?

– Hé, salut Grizelda ! lança Molly qui se réjouit de constater qu'en l'entendant, la sauvageonne en armure tirait sur les rênes de sa monture pour s'arrêter.

– Salut Molly ! répondit Grizelda qui ne pouvait détourner son regard de cette mystérieuse entrée de taverne, d'où s'échappaient des éclats de rire et des odeurs de pizza à l'ananas et au porc-épic.

– Rrrohhh ! Décidément, c'est bien ma veine ! Une nouvelle taverne s'ouvre et je n'ai pas un radis en poche !

– Pas un radis ? s'étrangla Molly.

– D'ailleurs, tu pourrais me prêter quelques tannas ? demanda Grizelda en bondissant de son cheval, complètement absorbée par cette devanture qui distillait des parfums alléchants.

Le fumet qui flottait dans l'air venait soudain d'être chassé et remplacé par un autre parfum encore plus irrésistible, aux puissants arômes de glace à la framboise et d'orchidée. L'impitoyable Grizelda avait beau être la terreur de tout le Désert perdu et la plus efficace des tueuses, elle était restée au fond d'elle-même une petite fille. Et cette minuscule part d'enfance se mettait à pétiller et à faire des bulles à la seule pensée d'une assiette débordante de pudding maxi-calorique.

– Je te signale que si j'avais des tannas à distribuer, je ne serais pas assise là, lui fit remarquer Molly. Il m'en manque deux pour acheter un cadeau à Papa.

– Ah oui, c'est vrai, j'avais oublié ! se rappela-t-elle. Dommage. En attendant, je vais quand même jeter un coup œil à l'intérieur. Tu peux me garder mon cheval ?

Avant que Molly ait eu le temps de l'arrêter, Grizelda avait enlevé son casque, lissé ses cheveux en arrière, et s'était éloignée d'un pas décidé vers l'entrée du restaurant, confiante et inconsciente du danger. Et pourtant, il était bien là ! L'entrée se fit de plus en plus grande ; des gouttes de salive visqueuses pleuvaient à l'intérieur.

– Grizelda, hurla Molly. Non !

Mais sa voix fut couverte par une salve d'applaudissements et d'acclamations provenant de l'intérieur du restaurant. Aussi vite qu'elle le put, Molly plongea au pied de l'arbre des Sacrifices, attrapa le plus gros des polygloutons et le lança de toutes ses forces. Et... Wiiiiiiiiizzzzz, il fusa dans l'air, passa juste au-dessus de la tête de Grizelda, s'engouffra dans l'entrée, et...

SSSHPAFBLEUUURRRTCH

alla s'écraser en explosant à l'intérieur du juppotan. Un rideau de salive gluante s'abattit alors sur le pas de la porte, qui s'était élargie pour digérer le polyglouton. Puis, le flux diminua, et lorsque Grizelda se trouva enfin devant l'entrée, des gouttes tombaient toujours, mais elles avaient la taille d'un nombril de rat, parfaitement !

– Trop dégueu, lança Grizelda en essayant de reculer, mais elle se prit les pieds dans les filets de bave caoutchouteux et tomba à la renverse.

Elle sortit sa dague et se libéra d'un geste de cette colle, puis rejoignit Molly en raclant ses semelles par terre.

– Est-ce que ça va ? demanda Molly.

Grizelda hocha la tête, cligna des paupières plusieurs fois avant de regarder à nouveau la plante. Peu à peu, l'entrée du cactus-restaurant avait repris sa forme avenante. Un frisson parcourut Grizelda : l'énorme polyglouton n'était plus qu'un mauvais souvenir.

– Je te dois une sacrée chandelle, Molly ! finit-elle par dire.

– Merci, répondit la fillette malicieusement. Mais tu sais, deux tannas feront l'affaire.

– Désolée, je ne peux rien pour toi !

Juste à ce moment-là, elles virent un attelage tiré par des chevaux s'approcher sur le sentier.

– Des Mains-douces ! s'exclama Molly. Eux, c'est sûr, ils ont de l'argent !

– On dirait que la chance te sourit après tout !

– J'espère bien. Mais tu devrais t'en aller maintenant.

– Pourquoi ça ?

– Je ne veux pas que tu les effraies et qu'ils s'enfuient, pardi !

– Bon, si tu le dis.

– Vas-y maintenant ! On se retrouve à la maison.

Grizelda remit son casque et, après avoir souhaité bonne chance à Molly, elle bondit sur son cheval, s'engagea sur l'allée des Sourires et s'éloigna au galop. Molly disposa ses plus belles pièces et se posta, bien en vue, en prenant un air innocent. Les mains serrées l'une contre l'autre, à la manière d'une petite fille modèle, elle attendait le passage de cet attelage providentiel. Mais qui voyageait donc à bord ? Une dame d'un certain âge et un gentilhomme qui portait la robe pourpre de la classe des nantis. Le genre de parasites à la retraite qui, toute leur vie, avaient été payés grâce aux impôts prélevés sur le salaire des autres.

« Pitié, arrêtez-vous ! » implora Molly.

À sa grande satisfaction, ils s'arrêtèrent. Malheureusement, ce n'était pas pour elle.

– Regardez un peu, c'est nouveau cet endroit ! fit le vieux gentilhomme lorsqu'il vit la porte du restaurant. Et dites donc, ce ne serait pas une harpe et un orchestre de percussions que j'entends là ? C'est chic, non ?

– Mon cher, ne croyez-vous pas que vous êtes un peu trop rouillé pour aller faire la bringue au son de la harpe et des tambours ? gloussa la vieille dame. Mmm, je rêve ou ça sent la tortue rôtie, ici ?

– N'y allez pas ! les avertit Molly. C'est une plante carnivore.

– Pouah ! lâcha la vieille dame lorsqu'elle abaissa son regard vers Molly et qu'elle la remarqua. Une petite sauvageonne !

– Si tu mords les chevaux, je te préviens, j'ordonnerai qu'on te fouette, annonça le vieil homme à Molly, sur un ton menaçant.

– Non, s'il vous plaît, ne faites pas ça ! implora Molly, qui essayait de garder son sang-froid. Si elle n'avait pas tant compté sur leur argent, elle les aurait volontiers laissés aller « s'éclater » avec le polyglouton au fond du restaurant. Mais elle prit une grande inspiration et jugea qu'il valait mieux leur adresser son plus beau sourire.

– Je voulais juste savoir : aimeriez-vous acheter quelques-uns de mes bijoux en fleurs ? C'est deux tannas pièce.

– Certainement pas, couina la vieille dame. Ils doivent être pleins de microbes et de saletés.

– Et comment ! renchérit le vieil homme qui, soudain, eut l'air distrait. Il fixait quelque chose derrière Molly.

– Oh, euh, ah… Dites donc ma chère, il est très mignon ce bracelet de fleurs, là, ne trouvez-vous pas ?

– Quoi ! s'étrangla-t-elle, dégoûtée. Comment voulez-vous qu'un bracelet soit « très mignon » sans diamant dessus ? Je préférerais mourir plutôt que de le toucher !

– Jetez-y un œil de plus près, insista-t-il en hochant la tête avec sérieux.

Alors que Molly s'était penchée pour ramasser le bracelet, l'homme poussa sa femme du coude et désigna ce qu'il avait vu.

– Êtes-vous vraiment sûre que vous préféreriez mourir ? souffla-t-il.

– Oh ! lâcha sa femme en sursautant. Ah oui ! eh bien, euh ! non, bien sûr que non…

Molly leur passa le bracelet de fleurs pour qu'ils l'inspectent.

– Ravissant, admit le vieil homme. Combien en demandez-vous ?

– Deux tannas de bronze, monsieur, répondit Molly, qui tentait de dissimuler son étonnement.

– C'est tout ? répliqua-t-il, soulagé.

– Payez-la immédiatement, insista sa femme, qui ajouta en chuchotant : on pourra toujours le déduire de nos impôts.

L'homme eut vite fait de laisser tomber deux tannas de bronze dans le creux de la main de Molly.

– Merci ! lança-t-elle.

– Bon, est-ce qu'on peut y aller maintenant ? s'impatienta la femme.

– Euh… oui, bien sûr, consentit Molly, l'air surpris.

– Ce n'est pas à toi que je m'adressais, corrigea la dame en pointant en direction de Molly un doigt garrotté par une grosse bague en or.

Molly se retourna. La seule chose qu'il y avait à voir derrière elle était l'immense arbre des Sacrifices. Elle haussa les épaules, perplexe, et fit à nouveau demi-tour. Le vieil homme avait déjà fait claquer son fouet sur le dos des chevaux qui partirent au galop. L'attelage passa à vive allure devant la porte du restaurant et disparut bientôt dans le lointain.

Tout en ramassant ses affaires, Molly se demandait pourquoi le couple avait été si dédaigneux de prime abord, et pourquoi, d'un seul coup, il s'était décidé à acheter le bracelet. Oh, et puis, mieux valait ne pas y penser. En fin de compte, elle avait gagné deux tannas de

bronze, et le droit de rentrer à la maison : Hip… Hip…
Hip… Hourra !

Grizelda resta cachée derrière l'arbre des Sacrifices
jusqu'à ce que Molly s'éloigne. Elle glissa le bras au
travers de son arc pour le mettre à l'épaule et alla
récupérer son cheval qu'elle avait attaché derrière un
fourré. D'un bond, elle l'enfourcha, le visage illuminé
d'un large sourire. Après toutes ces années passées à vivre
selon le code de la sauvagerie, elle s'étonnait toujours de
voir à quelle vitesse les gens changeaient d'avis dès lors
qu'on pointait une flèche dans leur direction. Certaines
choses évoluaient, certes, mais les bonnes vieilles
méthodes marchaient toujours aussi bien !

Le percepteur sonne toujours deux fois...

Quelques jours plus tard, Molly était dans sa chambre, occupée à dissimuler un paquet dans sa cachette, sous le tapis rose. Et cette fois-ci, il ne s'agissait pas d'argent. Le colporteur s'était annoncé et lorsqu'il avait ouvert son pardessus, dévoilant à sa jeune cliente mille poches débordant d'objets en tout genre, elle avait trouvé exactement ce qu'elle cherchait pour son père. Elle lui avait tendu ses cinq tannas en échange. Une fois le cadeau en lieu sûr, elle poussa un énorme soupir de soulagement : elle avait eu peur que le collecteur d'impôts revienne lui prendre ses sous. Car maintenant qu'elle avait tout dépensé, on ne pouvait plus lui retirer quoi que ce soit.

KA-BOÏÏÏÏÏÏÏÏNNNNNNNG !

Le son du gong d'Olk résonna dans toute la caverne.

– Va voir qui c'est, tu veux bien Molly ? hurla Urgum depuis sa chambre. Je suis occupé ! Je dois aiguiser des haches, et j'ai un autre truc à faire : c'est un peu compliqué.

En réalité, Urgum n'avait aucune arme à aiguiser. Par contre, le truc en question était effectivement compliqué. Enfin, pour Urgum. Il y avait une éternité, Molly lui avait montré à quoi ressemblait le *U* de Urgum. Le sauvage qu'il était avait alors réagi en émettant un son des plus grossiers et en faisant preuve du plus grand désintérêt. Toutefois, ce jour-là, comme Divina et les garçons étaient allés chercher du bois, Urgum en avait profité pour aller se cacher avec un exemplaire de *Moderne & Sauvage*. Il tournait nerveusement les pages de parchemin, examinant les formes et les symboles pour s'assurer s'il était capable de reconnaître le fameux « U ».

Molly, qui était sortie de l'enceinte du monolithe, passa devant la sentinelle pour parler avec un petit homme terne, juché sur un cheval gris. Il arborait les couleurs du palais et portait le même livre que la damezarlaide. La fillette expliqua que son père était occupé et que sa mère s'était absentée. Mais, à sa grande surprise, le bonhomme ne voulait voir aucun des deux.

– Molly de Golglouta ? demanda-t-il, le nez plongé dans son sinistre registre.

– C'est moi-même, répondit-elle.

– Humm… Fabriquant et détaillant de bijoux en fleurs, c'est bien ça ?

– Euh… Je suppose que c'est aussi moi…, hésita Molly en opinant du chef. Et… Euh, vous êtes ?

– Je suis M. Perkins, du département de la Perception des impôts, déclara-t-il. Notre registre nous informe que vous avez eu des revenus supplémentaires d'un montant de deux tannas.

– Comment diable savez-vous ça ? s'étouffa Molly.

– Un formulaire TC 421 a été envoyé au département des Exonérations, expliqua le percepteur.

– Un quoi ? lâcha Molly, en pressentant que ce qu'il allait dire ensuite serait mortellement ennuyeux.

Le percepteur haussa les sourcils : il n'en croyait pas ses oreilles. Bon d'accord, il avait affaire à une enfant sauvage. Mais était-il possible que son peuple ait vécu à ce point en marge de la civilisation qu'il ne savait ce qu'étaient les formulaires TC 421 de demande de remboursement ? Il prit une profonde inspiration et commença à expliquer à Molly très, très lentement de quoi il s'agissait.

– Chaque fois qu'une personne achète quelque chose, elle peut faire une demande de TC 421. C'est une démarche qui permet de se faire rembourser les taxes sur la valeur d'un objet acheté…

Bon sang, que c'était assommant ! Molly commençait à piquer du nez, ses yeux papillonnaient, et elle faillit même tomber. La voix du percepteur continuait à ronronner de son timbre monotone.

– … Et la somme réclamée peut être reversée à l'acquéreur du bien dans la mesure où la transaction commerciale est soumise à un impôt dont doit s'acquitter le bénéficiaire de la vente…

Tout en haut du mur d'enceinte, perdus dans un amas de branches informes qui leur servait de nid, Djinta et Percy entendirent ce discours, qui leur sembla si ennuyeux qu'ils s'assoupirent en un clin d'œil et…

FLICHKI-FLASHK… FRLOUT… FRLOUT…

…qu'ils basculèrent par-dessus bord.

– Les taxes à prélever sur la transaction sont donc, au final, comprises dans les revenus du bénéficiaire de la vente.
Voilà pourquoi, pour chaque transaction contractée, celui-ci doit nous reverser la moitié des revenus perçus…

CLKLONK!

Molly ouvrit brusquement les yeux : Olk venait de lâcher son épée par terre. Sa tête était penchée au-dessus de sa poitrine, et son gros ventre tremblotait chaque fois qu'il laissait échapper un ronflement. Lequel retentissait dans les plaines du Désert perdu avant de s'évanouir mollement au loin, et d'être suivi par un autre. Le géant qui gardait les portes de Golglouta n'avait pas eu la force de résister davantage à cette berceuse affligeante. Il s'était endormi, lui aussi, en l'écoutant.

– … Et comme le revenu, dans le cas qui nous intéresse, s'élève à deux tannas de bronze, vous nous devez la moitié de la somme. Par conséquent, il faut que vous nous versiez un tanna. C'est très simple, vous voyez, conclut le percepteur, assommé par ses propres paroles.

Molly cligna des paupières et secoua la tête pour essayer de se réveiller :

– Oui, simple comme bonjour, fit-elle.

Puis, ne pouvant plus se contenir, elle finit par lui dire :

– Il y a juste un tout petit problème.

– Si vous avez un problème, ne vous inquiétez pas, je peux tout vous réexpliquer si vous le souhaitez.

– NON ! s'écria-t-elle. Non, non, non surtout pas ! Le hic, c'est que je n'ai pas un seul tanna de bronze...

– Comment ça, pas un seul tanna de bronze ?

Le percepteur referma violemment son registre et se raidit d'un seul coup. L'avidité et la mesquinerie se lisaient sur son visage.

– Je ne vous crois pas. Comment se fait-il que vous n'ayez même pas un tanna de bronze ?

– Parce que je ne les ai pas, voilà tout, rétorqua Molly.

– Oh, vraiment ? demanda le percepteur. Eh bien moi, je crois que vous êtes en train de vous défiler et que vous refusez de payer.

– Vous pouvez croire tout ce qui vous chante, répondit Molly. Ce que je sais, moi, c'est que je ne les ai pas. Alors, pas la peine d'en faire un fromage.

– Oh, mais si ! déclara le percepteur d'un ton méprisant, tandis que son regard glissait sur l'entrée du monolithe à celle de la grotte. En cas de défaut de paiement de votre part, j'ai le droit de saisir vos biens à hauteur de la valeur de votre dette. Ce qui, dans votre cas, reviendra probablement à m'emparer de ce que vous possédez.

– Oh là, oh là, pas si vite, insista Molly. Je finirai bien par gagner un tanna. Pourquoi ne reviendriez-vous pas dans quelques jours ?

– Parce que c'est MAINTENANT que je suis là ! s'excita le petit bonhomme. Je suis M. Perkins, je suis un émissaire du palais et quand je me déplace pour relever un impôt, je ne pars jamais – jamais, vous entendez ? – sans être payé. Alors maintenant, j'entre.

– Ah ! ricana Molly. Avec Olk, ça ne risque pas d'arriver.

Mais le percepteur n'eut qu'à donner un coup de talon à son cheval pour le faire avancer, passer devant la sentinelle, toujours plongée dans un profond sommeil, et traverser le bassin de Golglouta. Molly le poursuivit. Mais juste au moment où Perkins atteignit l'entrée de la grotte, Urgum fit irruption, brandissant un exemplaire de *Moderne & Sauvage* à la main.

– Qui êtes-vous ? se lancèrent-ils l'un à l'autre, interloqués.

– Je suis M. Perkins, du département de la Perception des impôts, déclama-t-il en descendant de son cheval.

– Oh, oh… encore un snob ! commenta Urgum, qui n'avait pas vraiment pris la peine de l'écouter.

Le percepteur inspecta la grotte et commença à retirer tout ce qui se trouvait sur les étagères pour le mettre dans un grand sac. Et pour des raisons que lui seul devait connaître, Urgum ne semblait pas concerné. La seule chose qui lui importait était de tourner et virer autour du petit bonhomme en montrant du doigt l'exemplaire du magazine, et en poussant de bruyants « hum-hum ».

À la fin, il était si énervé d'être à ce point ignoré qu'il le provoqua :

– Alors, Monsieur-Perkins-le-snob, quand a-t-on parlé de vous pour la dernière fois dans la revue *Moderne & Sauvage* ?

Molly se tenait dans l'entrée de la cave, passablement décontenancée par la scène qui se déroulait sous ses yeux.

– Papa ! cria-t-elle. Que se passe-t-il ?

– Je suis dans *Moderne & Sauvage* ! fanfaronna-t-il en se pressant vers elle pour lui montrer le magazine. Regarde cet énorme mot, là : il commence par un *u*, comme Urgum. Bon, c'est bien un *u*, ça, hein ?

Urgum montrait une page du doigt. Pas de doute, il y avait bien un mot, tout en haut, qui commençait par un *U*, comme dans Urgum… Molly hocha la tête, mais avant même qu'elle ait le temps d'ouvrir la bouche, Urgum se précipita de nouveau vers le percepteur.

– Voilà ! explosa Urgum d'un ton triomphal. Regardez, ça vous la coupe, hein ? Pas vrai Monsieur-Perkins-le-snob-percepteur-machin-chose. Une page entière, rien que sur MÔA !

De fait, quand Perkins jeta un coup d'œil à la page, il fut si surpris qu'il ne sut pas quoi répondre :

– On parle vraiment de vous là-dedans ? s'étonna-t-il.

– Mais bien sûr !

Urgum replia soigneusement le magazine et le posa
sur une des étagères. M. Perkins en profita pour s'en
emparer et le jeter dans son grand sac.

– Hé, là ! s'exclama Urgum, réalisant soudain que
quelque chose ne tournait pas rond. Qu'est-ce qui se
passe ici ?

– Il veut que je lui donne un tanna de bronze, expliqua
Molly. Mais moi, je ne peux pas. Alors, il vient pour
prendre tout ce qu'on possède.

– Voyez-vous ça ? glissa Urgum en feignant l'étonnement.
Et il croit qu'on va le laisser faire comme ça ?

Urgum arracha le sac des mains du percepteur, et en retira le magazine qu'il replaça sur son étagère. Il jeta un coup d'œil à l'intérieur du sac et il faillit s'étrangler.

– Mais ce sont les babioles de Divina !

– C'était, mais ça ne l'est plus ! répliqua le percepteur d'un ton suffisant. Je les ai saisies parce que cette fille ne peut pas payer ses impôts. Alors pas d'histoires, hein ?

Urgum regarda le petit homme terne qui lui faisait face. Il n'était pas sûr d'avoir bien entendu. Et quand celui-ci tendit la main pour récupérer son sac, Urgum se rendit compte qu'il était très sérieux. Le Barbare décida donc de lui montrer qu'il était encore plus sérieux que lui.

– Fini de rigoler ! lâcha Urgum d'un ton calme. Molly, écarte-toi du passage.

– Vous avez beau être des sauvages, vous ne pouvez pas faire comme si les impôts n'existaient pas, gronda le percepteur. Je suis en mission officielle ! Je ne fais rien d'autre que mon devoir.

– Oui, et c'est toute la différence entre vous et moi, lui lança Urgum. Car ce que je m'apprête à faire, moi, n'a rien d'officiel, et je vais le faire pour le plaisir !

CHTONK !

Urgum balança son poing dans la mâchoire du collecteur, qui traversa l'entrée dans un vol plané avant de s'écraser de tout son long au beau milieu du bassin. Pour être sonné, il était sonné !

– Vous avez eu votre compte, cria Urgum. C'est tout ce que vous *percevrez* ici. On en a assez de vos histoires de chiffres, d'argent, d'impôts et tout le bazar. Allez vous faire pendre ailleurs.

Persuadé qu'il en avait terminé avec le percepteur, Urgum décida de s'asseoir avec Molly et de lui montrer la fameuse lettre *u* dans la fameuse revue *Moderne & Sauvage*. Quand, à sa grande surprise, le bonhomme l'interpella à nouveau :

– Hé, toi, le sauvage, hurla le collecteur. Il était étendu au sol et essayait de se relever sur les coudes. Regarde-moi bien, parce que la prochaine fois que tu me reverras, c'est que ton heure aura sonné.

Urgum s'interrompit. Cela valait-il le coup de passer la tête dans l'embrasure de l'entrée pour rabattre le caquet de ce petit avorton ? Probablement pas. Il se replongea donc dans la lecture du magazine.

– Tu as entendu ce que je viens de dire ? s'égosilla le bonhomme, qui pensait à tort qu'Urgum craignait les émissaires du palais. Tu mourras pour cet affront.

Urgum soupira et replaça à nouveau le magazine sur son étagère. Humm… Tout ça ne lui disait rien qui vaille. Ça ne se faisait pas de hurler de telles choses au plus redoutable Barbare que le Désert perdu eût jamais connu.

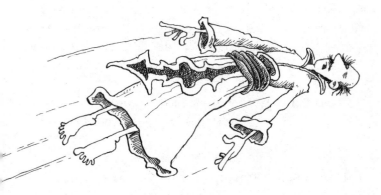

Urgum ne pouvait pas prétendre qu'il n'avait rien entendu ; il en allait de sa réputation.

– Ça ne peut pas continuer, Molly, déclara-t-il. Je crois qu'il faut que l'on s'explique calmement avec ce monsieur.

Aussitôt, Urgum se leva et sortit de la grotte. Et pour la première fois de sa vie, lorsqu'il sentit peser l'ombre du Barbare sur son petit corps sans défense, M. Perkins regretta vivement d'avoir ouvert la bouche.

– Alors, alors… Voyons voir si j'ai bien compris, commença Urgum en se grattant le crâne. Vous êtes toujours là, étendu par terre – et pourtant je vous ai à peine bousculé. Vous êtes seul, en territoire ennemi. Vous n'êtes pas armé, loin de chez vous. Néanmoins… vous avez le cran de me menacer de mort. Qu'est-ce qu'il faut donc pour que vous montriez un peu de respect ? Qu'est-ce qui me retient de céder à la tentation de vous dévisser la tête jusqu'à ce qu'elle me reste entre les mains ?

– Je vais te le dire, moi ! tonna le percepteur. J'incarne l'autorité de l'État ! Tu n'as pas le droit de me faire du mal.

– Autorité de l'État, mon œil ! railla Urgum.

Il lui montra le bassin de pierre rempli d'ossements, au milieu desquels deux autruches se disputaient la dépouille d'un serpent. Tiens… Il y avait même le pantalon de secours de Mongoïd, pendu à une des branches de l'arbre des Pendus… En revanche, il n'y avait pas la moindre trace « d'État » ou d'une quelconque « autorité ».

– Ne te moque pas de moi ! lui ordonna le percepteur d'un air renfrogné. JE VAIS TE TUER !

Et là, Urgum cessa de rire. Le percepteur vit alors une immense main s'abattre sur lui. Il essaya de se faufiler en rampant vers l'extérieur. Trop tard. Urgum le saisit par l'épaule et le souleva dans les airs à la hauteur de son nez, à quelques centimètres seulement d'une bouche pleine de dents acérées prête à mordre.

M. Perkins crut qu'il allait finir déchiqueté et réduit en purée à force de coups de poing. Mais il réalisa, très étonné, que le sauvage était en fait en train d'épousseter ses vêtements. Il alla même jusqu'à passer la main dans ses cheveux pour les remettre en place.

– Je vous ai sous-estimé, confessa Urgum tout en reculant d'un pas et en le regardant avec respect. Vous êtes un petit bonhomme très courageux.

Molly les rejoignit, ramassa le chapeau ratatiné de Perkins pour lui redonner une forme présentable. Puis elle le tendit à Urgum, qui le replaça sur la tête du percepteur et l'ajusta délicatement.

– Magnifique, déclara Urgum. Quelle charmante petite Main-douce vous faites.

– Tu n'as pas l'air de me prendre au sérieux, gémit le percepteur.

– Mais si, insista Urgum. Je vous prends tous très au sérieux.

– Qui ça tous ? demanda le percepteur, alors qu'Urgum le hissait sur son cheval.

– Eh bien, ceux qui disent vouloir me tuer, expliqua Urgum. Et ils sont terriblement nombreux. Croyez-moi, chacun d'eux est bien plus baraqué et bien plus méchant que vous. En plus, certains d'entre eux veulent ma peau depuis si longtemps que, si c'est vous qui me tuez en premier, vous vous mettrez à dos un paquet de gens particulièrement bizarres et très antipathiques.

– Mais c'est mon droit de te tuer ! s'indigna le percepteur en larmoyant.

– Droit ou pas, ça ne fera pas de différence pour eux, argumenta Urgum. Je préfère vous prévenir : si vous me zigouillez pour de bon, je ne voudrais pas être à votre place lorsqu'ils vous retrouveront.

Sur ce, Urgum donna une tape sur la croupe du cheval, qui partit au galop vers la sortie du monolithe, tandis que le percepteur proférait ses menaces.

– Je te parie que c'est la dernière fois qu'on le voit, P'pa ! s'esclaffa Molly. C'était drôlement bien senti de lui raconter ce mensonge sur tous ces gens qui veulent te tuer. C'était vraiment le meilleur moyen de s'en débarrasser.

– Un mensonge ? demanda Urgum, confus. De quel mensonge parles-tu ?

Sur l'étagère, à l'intérieur de la grotte, le magazine traînait à côté de deux statuettes à l'effigie des dieux. À l'insu de tous, leurs yeux s'animèrent. Tangor et Tangal échangèrent des regards inquiets.

– Notre plan se déroulait si bien ! gémit Tangal. Avec Molly, il commençait à s'assagir. Il avait arrêté de se bagarrer pour un oui ou pour un non, et ne prenait plus de risques stupides.

– Si seulement elle n'avait pas essayé de lui apprendre à lire, renchérit Tangor. C'était déjà assez embêtant comme ça qu'il se mette à chercher la lettre *u* dans *Moderne & Sauvage*... et il a fallu qu'il tombe sur ce truc-là... !

Les dieux tressaillirent lorsqu'ils repensèrent au moment où le percepteur avait dit : « Ça parle vraiment de vous ? » et que leur champion avait répondu oui.

– Il faut faire quelque chose avant qu'Urgum aille montrer le magazine à quelqu'un d'autre, trancha Tangor.

– Et si on déchirait la page ?

– Tu n'y penses pas ? bondit Tangor. Si Urgum s'en aperçoit, il entrera dans une rage folle, et il massacrera tout le monde sur son passage. Des milliers d'innocents pourraient périr. Non, il faut qu'on se débrouille pour transformer cette page.

– Oh ! là, là ! ça veut dire qu'on doit tout modifier, et déplacer l'encre, lettre après lettre…

– On n'a pas le choix, soupira Tangor. Si quelqu'un lui dit de quoi parle ce texte, il sera terrassé par la honte, il se radinera à notre table, et tu sais ce que ça signifie !

Ainsi les dieux se mirent au travail. Consciencieusement, ils s'appliquèrent à déplacer des trillions et des trillions d'atomes d'encre. Une vraie galère ! Enfin, c'était toujours mieux que d'avoir à nourrir Urgum jusqu'à la fin des temps.

Un marché secret

Le jour suivant, Molly décida de retourner à son emplacement habituel, près du carrefour. Elle avait pris avec elle tous ses bijoux en fleurs. La plaine du Désert perdu s'étendait devant elle, vaste et vide : pas l'ombre d'un client en vue. Il faisait trop chaud, et Molly manquait d'entrain. En arrivant au bout de l'allée des Sourires, elle aperçut au loin le juppotan géant, qui n'était pas très en forme lui non plus. Il avait l'air négligé : ses membranes – si fières d'habitude – pendouillaient toutes flasques vers l'arrière, en ondulant sous la brise. Mais la plante s'était quand même rendu compte de la présence de Molly. Car avant même que la fillette ne s'installe, la porte du « restaurant » s'était ouverte et les membranes s'étaient redressées pour produire du bruit et des odeurs.

Il n'y avait personne dans les environs. Molly prit soin de vérifier qu'aucun serpent n'était enfoui sous le sable et s'étendit de tout son long sur le sol chaud. Dans le ciel, Djinta et Percy tournoyaient dans les airs.

« Ce n'est pas le moment de dormir », se dit Molly en souriant de toutes ses dents. Elle connaissait bien ces maudits oiseaux et leur manie de fondre sur tout ce qui ne bougeait plus… En même temps, rester éveillée était au-dessus de ses forces, tant la musique qui s'échappait du restaurant la berçait mollement. Bientôt, Molly commença à piquer du nez. « Dim dim dam, dim dim dam… », chantonna-t-elle avant de s'assoupir pour de bon.

Le soleil poursuivait sa lente ascension dans le ciel en musique, et les vautours s'approchaient en décrivant de larges cercles. Pourtant, le danger ne venait pas du ciel : il rampait par terre.

– Molly ? appela quelqu'un au loin. Où es-tu ?

Molly se releva en tressaillant. Combien de temps avait-elle dormi ? Et qu'est-ce qui pouvait bien lui chatouiller la cheville comme ça ? Elle tendit la main pour se gratter tout en jetant un coup d'œil pour vérifier…

-AHHHHHHH!

Un tentacule immense et poisseux avait germé sur la devanture du juppotan-restaurant et s'était frayé un chemin vers Molly. Il se terminait par une pointe rose, hérissée de soies sensorielles qui balayaient la peau de la fillette pour mieux sentir son odeur. Un brouhaha incroyable s'éleva alors à l'intérieur du restaurant, et la plante vibra dans tous les sens. Le tentacule devenait de plus en plus gros et fort, et des gouttes gluantes commençaient à perler un peu partout à la surface. Molly regardait avec une fascination mêlée d'horreur la pointe qui se dressait devant elle. Le tentacule allait s'abattre sur sa cheville pour la capturer et la gober d'un coup. C'était un spectacle si extraordinaire, que Molly oublia que Grizelda avait eu un mal fou à se dégager de la glaire verte et visqueuse sécrétée par la plante. Elle se le rappela pile au moment où l'horrible tentacule prit son élan pour la saisir. La fillette s'empara alors d'un caillou pointu et le projeta contre l'extrémité rose qui explosa en plein vol. La plante se rétracta, et la porte de la devanture se ferma en claquant, tandis que la membrane émit un « blurtch » suspect.

– Désolée ma vieille, marmonna Molly le souffle court. Tu n'as vraiment pas de chance avec moi. Je n'arrête pas de te contrarier. Mais bon, peut-être qu'un jour, on trouvera le moyen de s'entendre !

Quelqu'un l'appelait à nouveau.

– Par ici ! répondit-elle.

Une silhouette massive s'approchait d'un pas tranquille sur le chemin qui descendait du monolithe. C'était Robbin, le plus gros de tous ses frères. Il apportait une cruche d'eau et des petites friandises brûlées et caoutchouteuses qu'il avait préparées. (Nul n'aurait su dire exactement à quoi ces friandises ressemblaient avant d'avoir brûlé. Qu'importe, elles étaient délicieuses, roussies et caoutchouteuses à souhait, et c'est tout ce qui comptait.)

– Alors, comment ça va, sœurette ? demanda Robbin en se baissant pour s'asseoir près d'elle.

– Bof ! moyen, lâcha Molly. Y a pas un chat, et j'ai toujours besoin d'un tanna de bronze pour payer les impôts. Sinon, on saisira tout ce que l'on a.

– Qu'est-ce que tu vends, au fait ?

– Des broches et des colliers en fleurs. Mais je peux aussi monter des fleurs sur des épingles pour en faire des boucles d'oreilles.

Robbin prit un de ses bonbons bizarres entre ses doigts boudinés et le grignota d'un air concentré tout en passant en revue le petit étalage de sa sœur.

« Robbin s'applique toujours, même quand il mange », pensa Molly. Mais il ne fallait pas oublier qu'il était avant tout un Barbare sauvage et sanguinaire, ignorant la pitié. Cependant, qu'il soit capable d'être tout ça à la fois en restant quelqu'un de soigné, c'était quand même la classe. Aussi Molly décida-t-elle que, plus tard, lorsqu'elle deviendrait la Barbare la plus redoutable de tous les temps, elle veillerait à être également la plus distinguée d'entre tous. Et là, ce serait vraiment la *super* classe. Même Grizelda en serait soufflée !

– Comment est-ce que tu t'y es prise pour fabriquer celle-là ? demanda Robbin en pointant du doigt une pensée incrustée dans une pierre jaunâtre et transparente.

– J'ai utilisé de l'ambre que j'ai récolté sur l'arbre des Sacrifices, expliqua Molly. Ça ressemble à du miel, et ça suinte le long de l'écorce. J'en ai fait couler une petite quantité sur la fleur, que j'ai ensuite laissée sécher au soleil. Lorsqu'elle est devenue toute dure, j'ai pu la monter sur une épingle. Tu vois, c'est pas mal comme broche, hein ?

– Tu la vends combien ? fit Robbin.

– Un tanna de bronze, répondit Molly. Comme tout le reste d'ailleurs. C'est la somme exacte qu'il me faut.

– Alors, je la prends, glissa Robbin en tendant une pièce à sa sœur.

C'était un tanna de bronze. Molly crut s'étouffer :

– Où est-ce que tu l'as déniché ?

– Je l'ai trouvé par hasard, lorsque j'étais bébé, raconta Robbin. Et je l'ai gardé tout ce temps sans le dire à personne.

– Ne te sens pas obligé de me le donner, s'exclama

Molly. Si tu veux, tu peux prendre la broche et garder ton argent pour quelque chose qui te fera vraiment plaisir.

– Mais c'est ça qui me plaît…, insista Robbin avec sincérité. En plus, comme dirait Papa, les fleurettes à la noix sont devenues très *tendance* chez les gros durs.

Tout en douceur, il saisit la petite main de Molly entre ses énormes doigts et fit tomber sa pièce à l'intérieur. Puis, il attrapa la broche et l'accrocha à sa tunique.

– Je… je ne sais pas trop quoi dire, balbutia Molly.

– Bah ! je crois qu'il vaut mieux ne rien dire rien du tout, lâcha Robbin en montrant leur caverne du doigt. Tu sais comment sont les autres…

Oh, ça oui, elle le savait ! Aussi promit-elle à son frère que personne n'apprendrait jamais qui lui avait donné ce fameux tanna de bronze, et contre quoi elle l'avait échangé.

Les défenseurs de Golglouta

Quelques jours plus tard, le hasard voulut, qu'au monolithe, les réserves de viande fraîche vinrent à manquer. C'est ainsi qu'Urgum, Mongoïd et Grizelda partirent en quête de la Jungle-Bougeotte. Il s'agissait d'une forêt vierge luxuriante qui avait pour sale habitude de ne pas tenir en place. Elle était donc difficile à trouver, mais si on y parvenait, cela valait vraiment le coup. Car elle était peuplée de créatures exotiques énormes, certes un peu ridicules, mais absolument délicieuses.

Dans la grotte, la vie suivait son cours. Chacun vaquait à ses tâches, si ennuyeuses et routinières fussent-elles, mais qu'il convenait tout de même de faire si l'on voulait que la maison soit bien entretenue. Celle de Ruff et Ruinn consistait à grimper en haut d'une échelle jusqu'au sommet du monolithe, où se trouvait une rangée d'énormes rochers. Disposés en équilibre le long de la corniche, ils étaient ceints d'une structure en fer hérissée d'une batterie de longs pics sacrément rouillés et menaçants. Ruff avait pour mission de les affûter à l'aide d'une pierre à aiguiser, pendant que Ruinn s'assurait qu'ils étaient assez mobiles pour être basculés par-dessus la corniche en cas d'attaque.

En contrebas, il y avait une bande de terre, pile en face du poste de guet où Olk montait la garde. Bien sûr, Olk était une forteresse à lui tout seul qui ne laissait filtrer rien ni personne (à part, bien sûr, les collecteurs d'impôts et leurs discours assommants). Mais prudence est mère de sureté ! Et en cas d'intrusion, on pouvait toujours s'en remettre à cette solution qui faisait un petit CLIC suivi d'un gros BOUM.

Après avoir vérifié les rochers et rendu leurs pics propres comme des sous neufs, les deux frères redescendirent. Ils retournèrent dans la caverne et se précipitèrent dans la cuisine, où Robbin aidait Divina et Molly à préparer une marmite de sauce qui accompagnait le gibier providentiel que les chasseurs ramèneraient pour le souper. Raymond était là, lui aussi. Ou plutôt, ses sacs, disposés près de l'âtre. Son bras sortait de l'un d'eux, brandissant une fourchette au bout de laquelle était accroché un gros champignon qui était en train de rôtir. Le calme régnait, chose rare à Golglouta. On devait cet état de grâce au fait que la famille n'était pas au complet : Rick et Rack étant perchés en haut de la tour de guet, personne ne les entendait se chamailler ; un des autres frères était parti bricoler au fin fond de la caverne. Ah… comment s'appelait-il déjà ? Tsss… enfin. On ne savait pas trop ce qu'il fabriquait, et d'ailleurs cela n'intéressait personne. Tout était paisible, et l'atmosphère si détendue que Ruff proposa de chanter une ballade qu'il avait lui-même composée pour célébrer sa bravoure et sa hardiesse. Ruinn suggéra aussitôt de lui arracher la langue et de la piquer au bout de la fourchette de Raymond. Puis Ruff décida que, finalement, il ne chanterait pas. Ainsi, le calme continua à régner. Mais plus pour très longtemps…

Dans un renfoncement de la caverne, il y avait une drôle de petite trompette fixée sur un tube de cuivre, qui disparaissait dans le sol. Celui-ci courait sous la grotte, contournait le bassin, passait sous les rochers et

remontait le long de la tour de guet, jusqu'à la plate-forme, où une autre petite trompette était également fixée. Les jumeaux Rick et Rack, juchés en haut de la tour, tuaient le temps en faisant une partie de Viens-là-que-je-t'étrangle, un jeu stupide qui pouvait très mal finir. Quand tout à coup, ils aperçurent un groupe de cavaliers s'engager sur l'allée des Sourires.

– Regarde, des soldats ! s'étouffa Rack alors que la main de Rick refermait son étau sur son cou.

– Waouh ! Zut ! ils se dirigent vers nous, déglutit Rick, sous la pression de la main de son frère.

– J'vais prévenir les autres ! fit Rick en lâchant Rack pour atteindre la petite trompette.

– Pas question ! ordonna Rack en serrant son cou encore plus fort.

Mais Rack avait réussi à atteindre l'instrument et à souffler dedans pour envoyer un signal vers la caverne :

POUUUUÊÊÊÊÊÊÊT !

Ce qui, bien sûr, à l'autre bout, fit sursauter l'assemblée familiale.

Ruinn accourut vers l'entonnoir et parla à l'intérieur.

– Qu'est-ce qu'il y a ? demanda-t-il.

Alors les voix des jumeaux, entrecoupées de bruits d'impacts, résonnèrent dans toute la caverne.

« Des intrus ! » **KLONK !** « Pousse-toi d'là, j'te dis. Ils sont dix ! Ce sont des gardes du palais... » **SLAAAP !** « Nan ! Ils ont plutôt l'air d'être cinquante. Et ils sont armés jusqu'aux dents » **BING !** « Nan, pas cinquante... J'dirais plutôt deux millions... », **WHAAA... CHKRONCH !**

– Merci, dit Ruinn. J'ai compris.

Tout ce raffut attira Robbin, qui sortit de sa cuisine pour rejoindre Ruinn. Il écouta attentivement ce qui se passait, en remuant une petite casserole pleine de sauce.

– Papa sera furax s'il apprend que des soldats sont venus et qu'il les a manqués ! lança-t-il.

– Je crois que l'on n'a pas vraiment besoin de votre père, hein ? suggéra Divina.

– NON ! répondirent-ils en chœur.

– Très bien les garçons, glissa-t-elle. Je veux que vous alliez tous sur la corniche, au cas où nous aurions besoin de lâcher les rochers-écrabouilleurs sur l'ennemi.

À ces mots, les garçons se ruèrent vers la sortie de la caverne.

– ... Hé là, pas si vite ! J'ai besoin qu'un volontaire reste ici pour remuer la sauce. Hors de question de la laisser se gâter à cause d'une malheureuse attaque militaire.

Robbin se dépêcha de jeter sa cuillère à Ruinn, qui la jeta à Ruff qui la jeta à un autre qui s'empara de la fourchette de Raymond pour la remplacer par celle-ci.

– Raymond se porte volontaire ! braillèrent-ils avant de filer au pas de course, de traverser le bassin, et de grimper à l'échelle de corde qui pendait à la paroi du monolithe.

– Héééé ! protesta Raymond depuis l'un de ses sacs. C'est toujours sur moi que ça tombe !

– T'inquiète Raymond, le consola Molly. Je vais te donner une épée que tu tiendras de l'autre main, comme ça, ce sera un peu comme si tu étais de la partie.

– Youpi ! grommela-t-il. Moi contre une grande marmite de sauce, tu parles d'un combat…

Molly mourait d'envie de rejoindre Olk pour assister au grabuge. Mais Divina avait foncé à l'autre bout du couloir, au fond de la caverne.

– Arrive, Maman ! lui cria-t-elle. Qu'est-ce que tu attends ?

– Ça y est, je l'ai retrouvé ! s'exclama Divina d'un ton triomphal depuis sa chambre. Me voilà.

– Qu'est-ce qu'elle a bien pu trouver ? s'interrogea Raymond.

– J'sais pas, soupira Molly en haussant les épaules. Peut-être qu'elle avait une dague enduite d'un poison très violent cachée quelque part.

– Ou peut-être un long fouet clouté ?

Divina fit irruption dans la pièce. D'une main, elle ajustait un peigne d'argent dans sa coiffure impeccable, et tenait de l'autre un tube rouge.

– C'est quoi ça ? demanda Molly en le voyant.

– Mon plus beau bâton de rouge, répondit Divina en plissant rapidement les lèvres, ce qui provoqua un petit bruit de bouche. Ce n'est pas tous les jours que l'on se fait attaquer par des gardes du palais ! Nous allons certes les réduire en miettes, les massacrer, les exterminer, mais il ne serait pas convenable de les laisser s'enfuir avec l'idée que nous ne sommes pas des gens civilisés.

L'homme qui avait des comptes à régler et à qui l'on régla son compte

Divina et Molly se tenaient à côté d'Olk, à l'entrée du monolithe, tandis que les garçons étaient à leur poste, sur la corniche, juste à côté des rochers-écrabouilleurs. Tous affectaient un air menaçant, sauf Divina qui souriait gentiment, jouant son rôle de maîtresse de maison parfaite. De l'autre côté du mur d'enceinte, dans la plaine, un groupe d'une vingtaine de cavaliers vêtus de l'uniforme des gardes du palais – aucun ne semblait à la bonne taille – gardait ses distances avec Olk.

– J'avais dit que je serais de retour, gesticulait l'un d'eux. Et me voici !

– Et qui donc êtes-vous exactement ? cria Divina.

– Demandez à votre fille. Je suis sûr qu'elle m'a

reconnu, aboya un petit homme terne, sur son petit cheval terne en se frayant un chemin à l'avant du cortège. Je suis M. Perkins, du département de la Perception des impôts. Et ces gens qui m'accompagnent sont des agents territoriaux du fisc.

– Des QUOI ? s'exclamèrent les Barbares en dévisageant ces drôles de bonshommes qui portaient tous des chapeaux trois fois trop grands pour eux.

– Des agents territoriaux du fisc ! répéta M. Perkins. Ce sont des volontaires qui ont pris des cours du soir de lutte armée. Ce que vous voyez devant vous est un escadron doté de toutes les aptitudes requises au combat.

Ces agents ont fait leurs preuves lors d'un entraînement militaire de haut niveau. Certains ont même reçu des récompenses et des distinctions.

– GRRR… ! firent les agents territoriaux pour montrer qu'ils étaient des durs à cuire.

– Ouuuuh… Trop peur ! ironisèrent les garçons, depuis la corniche.

– Oh ! vous pouvez vous moquer, ricana Perkins. En attendant, nous sommes ici pour réclamer la somme d'un tanna de bronze que vous devez au titre de l'impôt. Si vous ne payez pas, je me verrai dans l'obligation de vous arrêter tous et de saisir vos biens.

– Ne vous emballez pas ! intervint Molly. Le voilà votre tanna de bronze.

Molly passa devant Olk pour rejoindre Perkins. Puis, elle sortit la pièce de sa poche et la lui lança d'une pichenette. Celle-ci tournoya dans les airs. Perkins la rattrapa au vol. Il avait l'air extrêmement déçu.

– Voilà, la dette est payée ! lâcha Molly. Alors, au revoir.

– Pas si vite, mademoiselle, cria Perkins. J'ai un compte à *régler* avec votre père. Il m'a agressé, moi, un fonctionnaire des impôts du palais.

– Il est sorti, le nargua Molly qui venait d'arracher une touffe d'herbe pour l'offrir au cheval du percepteur.

– Ben voyons, commenta le fonctionnaire d'un ton cassant. Je suis là pour le tuer. Je l'avais prévenu…

– Oh ! vraiment, ce n'est pas de chance, glissa Divina, toujours postée devant l'entrée du monolithe et avec son sourire gentillet. Il sera déçu de vous avoir raté. Peut-être que vous pourriez refaire un saut en vitesse et le tuer à ce moment-là ?

– Pas question, gronda le collecteur d'impôts. Quand revient-il ?

– Je n'en ai aucune idée, soupira Divina d'un air contrit. Mais si vous devez filer pour régler d'autres *comptes* ailleurs, je vous en prie. Je lui dirai que vous êtes passé.

– Ouais, c'est ça, allez régler vos comptes ailleurs ! aboyèrent les garçons du haut de la corniche.

– Nous avons tout notre temps, vociféra Perkins en retour.

Sauf que les agents avaient déjà commencé à faire demi-tour. L'un d'eux, M. Wiggins, du département des Payes, se sentit obligé d'intervenir :

– Je crois que nous ferions mieux d'y aller, monsieur. Je vous rappelle que nous avons un gros séminaire demain matin sur la stratégie financière de nos départements. Et c'est moi qui suis chargé de distribuer la documentation et les stylos avant l'ouverture de la réunion, dit-il pompeusement.

Perkins lui envoyant un regard glaçant, Wiggins voulut lui faire un signe amical de la main pour tenter de détendre l'atmosphère. Mais comme sa manche était trop longue, le revers vint s'abattre sur son œil en claquant, ce qui ne manqua pas de faire hurler de rire les garçons…

– Ah, Ah, Ah !

… Si bien, qu'ils faillirent tomber par-dessus bord.

– Waouuuuuh !

La poitrine de Perkins se souleva : il était tellement déçu ! Il regardait le tanna de bronze au creux de sa main, lorsqu'un sourire perfide éclaira son visage.

– Attendez ! ordonna-t-il aux membres de son escadron, qui s'immobilisèrent sur-le-champ et firent demi-tour, sans vraiment savoir ce qu'ils devaient en attendre au juste. Il y a un petit point que j'aimerais régler d'abord.

Le collecteur d'impôts se pencha vers Molly, qui caressait doucement les naseaux de sa monture.

– Et d'où vient-il ce tanna ? demanda-t-il d'un ton inquisiteur.

– J'ai vendu une broche, répondit Molly.

– Alors, c'est un revenu supplémentaire ! s'exclama-t-il en exultant.

– Gnagnagnagna… Bien sûr que c'est un revenu supplémentaire ! geignit Molly.

– Et si c'est un revenu, il est soumis à l'impôt ! lâcha Perkins en souriant de toutes ses dents et en se frottant les mains.

Les autres cavaliers, animés d'une soudaine curiosité, se rapprochèrent.

– Je viens juste de vous donner cette pièce. Je ne peux pas vous devoir quelque chose que je n'ai plus, répliqua Molly.

– Ce tanna-là, c'est pour l'impôt que vous deviez, rétorqua Perkins. Mais vous n'avez toujours pas versé l'impôt qui se rapporte à ce nouveau gain. Donc, vous nous devez la moitié d'un tanna. Gardes, emparez-vous d'elle !

Deux femmes vêtues de pantalons immenses descendirent tant bien que mal de leurs montures. L'une s'appelait Mme Pottersnitch, et l'autre Mlle Tibbly. Elles travaillaient au département des Certificats de paiement. D'un geste maladroit, elles attrapèrent de lourdes chaînes, et se précipitèrent paniquées sur Molly, qui n'avait pas du tout l'intention de se laisser faire.

– Minute papillon ! Il y a peut-être des impôts à payer sur ce tanna, mais ce n'est plus le mien maintenant, protesta-t-elle.

Elle désigna M. Perkins du doigt. Ce dernier faisait tournoyer la pièce de bronze en l'air. Quelle suffisance !

– C'est le sien, c'est à lui de payer l'impôt, c'est lui que vous devriez arrêter.

Les agents territoriaux se lancèrent des regards hébétés. Il n'en fallut pas plus à Molly pour échapper à leur vigilance et prendre la poudre d'escampette.

– Cette gamine est en train de vous berner ! Rattrapez-la ! s'égosilla Perkins.

Mais Molly, qui avait réussi à s'enfuir, s'était déjà faufilée derrière Olk. Les agents s'élancèrent à sa poursuite, mais lorsqu'ils parvinrent à hauteur de la sentinelle, la lame de cette dernière se mit à trembler.

– Je suis désolée, fit Divina avec son ton d'hôtesse irréprochable. Mais si vous vous approchez encore, j'ai bien peur que notre sentinelle ne vous coupe la tête d'un seul coup de lame.

– Et ce n'est pas tout. Regardez un peu là-haut, suggéra Molly.

Au sommet de la corniche, les garçons commençaient, en effet, à pousser les rochers-écrabouilleurs, qui se balançaient d'avant en arrière et craquaient en laissant s'échapper des bruits sinistres. Des cailloux dégringolaient dans le vide. Ricochant contre la paroi du monolithe, ils s'abattaient sur les troupes de Perkins, lesquelles battirent en retraite. L'anxiété se lisait dans leurs yeux. Et pour cause, elles n'avaient pas appris, durant leurs cours du soir, comment survivre à une avalanche de rochers-écrabouilleurs.

Perkins, de son côté, était fou de rage. Et Divina, qui continuait à lui sourire mièvrement, en penchant la tête sur le côté, avec son air de sainte-nitouche, n'arrangeait rien.

– Chère madame, dit-il en feignant de garder le contrôle de lui-même. Je vois que les règles du monde civilisé ne vous sont guère étrangères.

– Et flatteur, avec ça…, ironisa Divina, ravie.

– Mais de toute évidence notre point de vue vous échappe et requiert de plus amples explications, continua le collecteur. C'est pourquoi j'aimerais vous présenter un de mes collègues.

– Oh, ce serait un honneur !

Divina porta aussitôt sa main à ses cheveux pour vérifier que ses peignes d'argent étaient bien mis. Une percée se forma entre les rangs des cavaliers pour permettre à quelqu'un – mais peut-être vaudrait-il mieux dire quelque chose – d'en sortir. Un petit poney d'allure vigoureuse traversa la mêlée au pas. Ses six pattes étaient aussi grosses que des troncs d'arbre. Chose curieuse, cette créature ne galopait pas très vite. En revanche, les cirques se l'arrachaient. Les spectateurs ne se lassaient pas de la voir remorquer des éléphants qu'on leur accrochait à la queue. Le poney de trait avait beau être un animal bizarre, ce n'était rien en comparaison de l'énergumène qui le chevauchait.

– Nom d'un Gollark , marmonna Ruff sur la corniche. Qu'est-ce que c'est que *ça* ?

– Ça…, glissa le collecteur en souriant d'un air fat, c'est M. Thompkinson, du département des Comptes à régler. Et comme justement, nous avons un compte à régler ensemble, vous traiterez directement avec M. Thompkinson.

L'apparence de M. Thompkinson pouvait se résumer en un mot, c'était : une masse. À l'instar des poneys de trait, il était plus large que grand. Et les muscles qui saillaient de ses membres étaient gros comme des melons d'Espagne. Son uniforme vert était si serré, qu'on peinait à savoir qu'il s'agissait d'un uniforme. Quant à son visage, il était si plat qu'il donnait l'impression de n'être qu'un disque, posé en équilibre sur son cou.

– M. Thompkinson se fera un plaisir de vous exposer clairement notre point de vue dès qu'il vous aura été présenté, assura Perkins. Allons, vous pouvez lui dire bonjour.

M. Thompkinson chevaucha jusqu'à l'entrée du monolithe, et tendit sa grosse main à Divina. Instinctivement, cette dernière avança, passa sous le nez d'Olk et alla la lui serrer.

– Comment allez-vous, M. Thompkinson ? demanda-t-elle.

Pour toute réponse, le trait qui servait de bouche à ce visage, où tête et cou ne faisaient qu'un, s'incurva.

– Voilà, lança le collecteur. Nous y sommes ! M. Thompkinson a une manie : il ne vous lâche pas tant qu'on ne le rembourse pas, ou tant que… hum, hum… un arrangement n'a pas été trouvé.

Divina essaya de se dégager, mais c'était impossible. Et voilà qu'elle était prisonnière de la poigne de fer de ce nabot qui, même juché sur le dos de sa monture, restait plus petit qu'elle. C'était d'un ridicule…

– À quoi devons-nous nous attendre désormais ? demanda Divina.

– Nous entrons chez vous, tout simplement, expliqua Perkins. Nous saisissons vos biens, et si vous nous en empêchez, nous vous arrêterons et vous vendrons comme esclaves.

Sur ce, M. Perkins donna l'ordre à ses hommes de s'avancer, tout en se gardant de le faire lui-même. Il ne savait trop quelle décision prendre. Là-haut, sur la corniche, les garçons regardaient, inquiets, le cortège s'approcher de l'entrée. Ils hésitaient sur la décision à prendre et ne voulaient pas se risquer à pousser les rochers-écrabouilleurs dans le vide tant que leur mère était en dessous. Après un coup d'œil dans leur direction, Perkins lâcha en ricanant :

– Ne faites pas les andouilles les garçons !

– Qu'est-ce qu'il fabrique cet Olk ? Qu'attend-il pour leur barrer le chemin ?

– Et comment… avec ce sale petit bonhomme qui retient Maman prisonnière juste en face ? Si Olk leur coupe la tête, Maman y passe aussi.

Les agents territoriaux se regroupèrent derrière le poney de trait de M. Thompkinson.

– Mot de passe ! gronda Olk.

– Laisse-les entrer, gras-double, ou je te jette aux mines de soufre.

Un frisson parcourut Olk. Il détestait qu'on lui dise qu'il était gras. Il *avait été* gras de par le passé, certes. Mais c'était de l'histoire ancienne. Depuis, il était devenu énorme et il en était très fier… Alors gras, pffff ! Oh ! comme il aurait aimé lever sa longue épée et la faire tournoyer dans les airs… Oui, mais voilà… Divina était toujours prisonnière de Thompkinson, qui ne la libérait pas. Ah, que faire ? Tout à coup, Olk éprouva une drôle de sensation. Quelque chose le chatouillait dans le dos. D'un bon, la petite Molly avait réussi à s'accrocher à sa ceinture et s'efforçait de grimper vers son cou. Elle se pencha pour lui chuchoter des choses à l'oreille. Les muscles du géant se bombèrent soudain en craquant. Il décolla sa puissante lame de ses épaules et la leva au-dessus de lui, pile dans la direction du soleil, tandis que Molly, ayant sauté à terre, reculait. Là-haut, aux premières loges, les garçons ne perdaient pas une miette du spectacle.

– Il a levé les mains en l'air ! s'étrangla Ruff.

– C'est la première fois que je le vois faire ça, souffla Ruinn. Il les laisse entrer !

– Oh, non, qu'est-ce qu'il va arriver à ma sauce ? se lamenta Robbin.

– Relax Max, le rassura Ruinn. Raymond veille sur elle.

– Ouf ! soupira Robbin. J'ai failli avoir peur.

En bas, le collecteur commençait à trouver le temps long :

– En avant camarades ! ordonna-t-il. La voie est libre, le gros lard ne peut rien contre nous : allez-y !

À ce moment-là, Molly déposa par terre un sac qu'elle venait juste d'aller chercher dans la caverne.

– À toi de jouer Raymond, dit-elle.

Une main sortit du balluchon, tenant une cuillère chauffée à blanc qui rougeoyait encore. D'un coup de poignet, il jeta de la sauce bouillante qui atteignit l'œil de M. Thompkinson du département des Comptes à régler avec un gros SCHPLOTCH.

Sous l'effet de la douleur, le bonhomme lâcha Divina. Et soudain :

SCRATCHAAAAACHPLOTCHH !

La lame fendit l'air, le poney eut juste le temps de baisser la tête pour l'éviter. Mais M. Thompkinson, lui, n'eut pas cette chance : le fer trancha sa tête plate en deux parts égales, et continua à traverser son corps, lentement, mais sûrement, le divisant en deux moitiés parfaitement symétriques. Puis la lame vint buter contre la selle de sa monture, où elle s'arrêta enfin. Le poney de trait avait eu chaud !

Alors, les deux moitiés de M. Thompkinson, du département des Comptes à régler se séparèrent,

glissèrent sur les flancs du pauvre poney sans défense et finirent par s'écraser sur le sol.

Olk, aussi imperturbable que s'il venait de se débarrasser d'une mouche, releva sa lame et la laissa reposer comme d'habitude sur son épaule.

Calmement, le poney de trait dépassa Olk en trottinant pour rejoindre la quiétude du bassin de Golglouta. De toute évidence, il avait choisi son camp : mieux valait être du bon côté, car toute cette affaire était en train de tourner au vinaigre. Divina lui emboîta le pas. Aussitôt, un rocher-écrabouilleur fit ses deux premières victimes : Mme Pottersnitch et Mlle Tibbly, du département des Certificats de paiement, qui furent aplaties comme des crêpes. D'autres rochers le suivirent, et le reste de l'escadron fit demi-tour au galop pour s'enfuir le plus loin possible du monolithe, en laissant le pauvre Perkins, seul derrière eux. Bouleversé par les évènements auxquels il venait d'assister, le collecteur d'impôts essayait de se maîtriser, mais les mots se bousculaient dans sa bouche.

– Vous, vous tous… Attendez… Attendez un peu que… Vous allez voir ce que vous allez voir… ! hurla-t-il.

– Qu'est-ce qu'on va voir ? cria Molly.

– Je vais vous coller un formulaire F 28, la menaça-t-il.

Les agents territoriaux s'en étranglèrent :

– Non, pas un formulaire F 28…

– C'est quoi un formulaire F 28 ? demanda Ruinn depuis la corniche.

– Bande d'imbéciles : pas un de vous ne sait ce qu'est un formulaire F 28 ? ricana le nabot.

Là-haut, les garçons échangeaient des regards interloqués, quand soudain, une mystérieuse voix à côté d'eux lança :

– Je sais ce que c'est : c'est un document officiel, ajouta la mystérieuse voix de quelqu'un qui semblait se tenir juste à côté d'eux.

– Hein ? lâchèrent les garçons, inquiets.

Ils mirent un petit moment à comprendre d'où venait cette voix. C'était le septième fils : l'Autre, comme on l'appelait. Il avait parlé ! Les garçons en avaient la chair de poule, car ils ne s'étaient même pas rendu compte qu'il était parmi eux sur la corniche. Et sans doute y était-il depuis le début. Mais l'Autre ne put en dire davantage…

– Hé, ça vous dérangerait de me laisser en placer une, *s'il vous plaît* ? Merci beaucoup ! vociféra le collecteur d'impôts, excédé à l'idée que le septième fils puisse lui piquer la vedette.

Il s'éclaircit la voix, et prit un ton grandiloquent :

– Un F 28 m'autorise à déployer toute l'Armée territoriale des impôts. À partir de maintenant, finis les échanges de civilités et les visites de courtoisie : désormais, c'est la GUERRE !

Le collecteur d'impôts, l'air satisfait, remarqua alors que Divina, qui se tenait à côté d'Olk, le fixait en affichant son sourire mièvre.

– Comme c'est charmant, s'exclama-t-elle en lui faisant un « au revoir » de la main. Et prenez soin de vous !

Le mystère des rochers-écrabouilleurs

La fin de journée approchait pour les habitants de Golglouta, qui étaient sans nouvelles d'Urgum, de Mongoïd et de Grizelda. Le soleil, qui en avait assez de patienter, alla se coucher derrière un volcan situé de l'autre côté du Cratère oublié. Des faisceaux de lumière orangée filtraient à travers les nappes de fumée. Leurs reflets chatoyants balayaient le sable, que la douceur du soir venait rafraîchir. Des ombres immenses, aux formes inquiétantes, dansaient sur la paroi du monolithe en s'étirant, tandis que se déroulait un spectacle intriguant : les garçons s'employaient d'une curieuse manière à remonter les rochers-écrabouilleurs qu'ils avaient jetés sur les agents territoriaux, l'après-midi même, depuis la corniche. Toute la fratrie, à l'exception de Molly, s'était réunie sur un terre-plein, chaque garçon tenant le bout d'une corde reliée à une grande poulie, qui pendait au-dessus de leur tête. L'autre bout de la corde était solidement arrimé à l'un des rochers. Pour se donner du cœur à l'ouvrage, Ruff criait à tue-tête : « Un, deux, trois, sautez ! » Et ensemble, ils plongeaient dans le vide en s'agrippant fermement à la corde. Sous leur poids, le rocher sautait puis rebondissait sur la paroi avant d'aller se placer directement en haut de la corniche.

Enfin, ça, c'était la théorie. Dans la pratique, c'était quand même une autre histoire. Au moment où ils allaient s'attaquer au dernier rocher, les six frères en avaient tellement assez de Ruff et de sa manière de jouer les petits chefs que, lorsque celui-ci cria « Un, deux, trois, sautez », ils lâchèrent la corde en même temps. Et comme Ruff n'était pas assez lourd pour faire contrepoids, il se retrouva suspendu en l'air à mi-hauteur, les jambes dans le vide.

– Ha, ha, ha ! s'esclaffèrent les autres.

– Et qu'est-ce que je suis censé faire maintenant ? lâcha Ruff de mauvaise humeur, alors que les autres étaient déjà descendus pour continuer à se tenir les côtes sans leur frère. Seul Raymond ne les avait pas suivis. Ses sacs étaient restés sur le terre-plein, juste au-dessus de Ruff.

– Tu veux que je te fasse descendre ? lança Raymond.

– Sans les pieds ni les mains ? Et tu comptes t'y prendre comment ? rétorqua Ruff méchamment.

– Si tu le prends comme ça, débrouille-toi tout seul,

mais je te conseille de ne pas lâcher la corde. Tu t'écrabouillerais en bas en faisant un gros « schplaf ».

Ruff se balançait en donnant des coups de pied dans le vide et en jurant. Puis, lorsqu'il finit par comprendre que cela ne servait à rien, il cessa.

– Bon ? lâcha-t-il en s'adressant à Raymond. S'il te plaît ?

– Tout ce que tu as à faire, c'est te balancer pour atteindre l'autre bout de corde qui est relié au rocher. Accroche-toi-y sans lâcher l'extrémité que tu tiens, sinon elle glissera sur la poulie et tu tomberas. Ensuite, tu attaches les deux cordes ensemble en faisant un nœud et LÀ, tu pourras redescendre sans problème.

Expliqué comme ça, l'affaire semblait simple. Et Ruff se raconta la suite de l'aventure : « Tu arrives en bas. Tu vas voir les frangins qui sont assis sur les rochers, dans le bassin, et qui continuent à se moquer de toi. Tu leur dis que tu t'es débrouillé comme un grand, sans l'aide de personne. Puis, plus tard, tu essayes de les convaincre de t'accompagner pour ramener le dernier rocher sur la corniche. Et là, tu passes vraiment pour une andouille parce que le dernier rocher est *déjà* sur la corniche. Tout ça, parce que Raymond a réussi à le remettre en place, Dieu seul sait comment, mais en tout cas, c'est fait. Alors, tout le monde pense que Raymond a des pouvoirs magiques. Et toi ? Encore une fois, tu es la risée de tous, le dernier des imbéciles comme d'habitude. »

Et c'est ce qui se produisit. Bien sûr, Raymond n'avait pas de pouvoirs magiques (même s'il se gardait bien de le dire). Il était juste – au même titre que n'importe quelle autre personne découpée en rondelles et condamnée à passer le restant de ses jours dans des sacs – parfaitement normal. À la vérité, Raymond avait sifflé le poney de trait qui, par chance, était toujours dans les parages. Occupé à se balader et à chercher quelques morceaux de cactus à se mettre sous la dent, il avait daigné répondre à l'appel de Raymond. Entre-temps, celui-ci avait sorti le bras d'un sac et s'était mis à tâtonner autour de lui. C'est ainsi qu'il parvint à s'emparer d'un bout de corde qu'il noua à un autre bout pour doubler la longueur. Il fit glisser l'ensemble, le long de la paroi, vers le poney de trait, qui l'attrapa entre ses dents. La main de Raymond rampa alors jusqu'au rocher, dénoua le nœud qu'avait fait Ruff, et repartit vers son sac. Sa bouche siffla pour donner le signal, et le poney de trait avança. Le rocher-écrabouilleur regagna alors sa place d'origine, sur la corniche. Un jeu d'enfant, vraiment. Pas étonnant car, comme disait Molly, Raymond était sans aucun doute le cerveau de la bande.

Poigne de fer et Main-douce, troisième round

Tout était revenu à la normale à Golglouta. Les rochers étaient à nouveau bien en place sur la corniche et Molly était assise sur le lit à baldaquin de ses parents. Elle suivait du regard sa mère qui s'agitait dans tous les sens ; là, pour s'emparer d'un objet d'un geste brusque, là, pour le secouer, là, pour le replacer ailleurs. Et tout ça, pour quoi ? Pour rien… juste comme ça. Sur le mur, la torche flamboyait et crachouillait en lâchant des étincelles. Une activité qui n'était pas sans rappeler l'humeur électrique de Divina. L'incident qui venait de se produire – sa main que l'horrible Thompkinson n'avait pas voulu lâcher – l'avait affectée : la pauvre était mortifiée.

– Je vais te dire quelque chose Maman, annonça Molly. Je trouve que tu t'en es drôlement bien sortie cet après-midi.

– Ce n'est pas mon impression, lui répondit sèchement sa mère.

– Mais pourtant c'était le cas, la rassura sa fille. Tu as été *cool*, comme d'habitude d'ailleurs. Et je ne suis pas la seule à penser ça, même Mongoïd est d'accord : n'es-tu pas celle qui a réussi à convaincre Urgum de se laver, et qui y a survécu ?

– Oui, enfin, je te signale que toi aussi tu y es arrivée.

– Euh… vouih, fit Molly, cherchant une sortie appropriée. Mais Mongoïd, trouve que c'était mieux quand c'est toi qui le lui as demandé. Allez, Maman, tu ne m'as jamais raconté cette histoire. Dis-moi comment ça s'est passé.

Divina inspira bruyamment, lasse. Mais elle se rendit compte que sa fille faisait son possible pour être gentille avec elle. Aussi s'attendrit-elle un peu.

– Désolée Molly, je ne peux pas te le dire. C'était il y a longtemps. Et en plus, c'est tellement dégoûtant que, c'est simple, tous ceux qui entendent cette histoire ont envie de vomir.

– Waouh, ça devait vraiment être super crado, s'exclama Molly, en trépignant d'impatience.

– Tu m'enlèves les mots de la bouche. Non, je t'assure, il vaut mieux que je ne m'étende pas, ça va te rendre malade.

– Oh, Maman ! insista Molly. J'ai surpris Papa en train d'enlever son pantalon dans le living. Alors, si je peux supporter ça, je peux tout supporter, tu ne crois pas ? Allez, raconte-moi ! S'IL TE PLAÎT...

Divina soupira, puis vint s'asseoir sur le lit à côté de sa fille. De toute façon, Molly parviendrait bien à avoir le fin mot de cette histoire, un jour ou l'autre. Autant que ce soit maintenant.

Pour commencer, elle expliqua que la meilleure chose qu'elle retenait de ce jour-là, c'était qu'Urgum lui avait donné une formidable occasion de choquer des gens particulièrement assommants et prétentieux, qui pourtant ne savent rien à rien, mais se croient obligés de donner leur avis sur tout. Un peu comme Perkins. Le genre à ne vivre qu'entre eux, à être dorlotés par des esclaves, à mourir bien gentiment dans leur sommeil et à avoir droit à des sculptures en leur honneur sur leurs tombes, et des funérailles, bien sûr, payées avec l'argent des pauvres...

Durant la cérémonie de mariage, Urgum s'était surpassé. Pour choquer une assemblée de Mains-douces, il avait fait très fort. Mais comme Molly allait bientôt s'en rendre compte, sa mère n'avait pas grand-chose à lui envier dans ce domaine.

Le banquet du mariage avait eu lieu sous une immense tente plantée au beau milieu du parc du palais Laplaie, et entourée de pièces d'eau. Elle abritait près de trois cents personnes : les amis les plus « proches » de la famille de Divina. Urgum était arrivé seul et était l'unique représentant de son clan. Oh ! il avait bien été question un moment de le laisser venir avec ce Mongoïd l'Ostrogoïde, son plus vieil et meilleur ami. Mais finalement, le comité de supervision matrimoniale, piloté par Gastan, le père de la mariée, avait tranché, non sans regrets. Il y avait déjà tant de monde… Un invité supplémentaire, et l'on risquait la surpopulation sous la tente – sans parler du risque sanitaire que cela faisait courir à l'assemblée. Urgum avait préféré faire profil bas de peur de perdre la main de sa promise, et Divina aussi, même si elle jugeait cette décision absolument révoltante. Mais elle non plus n'avait rien dit, craignant de retarder le protocole. La seule chose qui comptait était que la cérémonie soit assez longue pour qu'Urgum devienne son époux légalement, et pour qu'elle-même soit enfin délivrée de cette bande de Mains-douces prétentieuse, à laquelle elle avait la malchance d'appartenir.

La cérémonie était présidée par la Matramama, une fonctionnaire bienveillante, portant la robe vert et or aux couleurs du palais, dont la grande spécialité était : la famille et les liens du mariage. Elle était si concentrée sur la célébration, qu'elle ne s'étonna même pas du décalage entre cette éblouissante jeune fille, à la coiffure impeccable, qui se tenait devant elle et l'immense Barbare ruisselant de sueur qui lui était promis. Mais pourquoi s'en serait-elle souciée, après tout ? Dans le fond, le mariage, ça n'avait rien de compliqué. Ces deux-là s'étaient retrouvés devant elle de leur plein gré, sains

de corps et d'esprit, et, visiblement, personne ne leur mettait un couteau sous la gorge pour les obliger à signer le registre. Alors…

La Matramama fit donc son travail, aborda les différents devoirs entre époux, et tout s'enchaîna en douceur jusqu'au moment fatidique où elle devait annoncer aux intéressés : « Vous pouvez maintenant échanger vos souffles. » Selon la coutume, l'un et l'autre devaient se rapprocher jusqu'à ce que leurs nez se touchent, puis inspirer, tour à tour, l'air que l'autre expirait. Bien sûr, ce n'est pas le genre d'expérience à laquelle des personnes âgées se seraient prêtées. En revanche, pour de jeunes gens animés par le feu de la passion, comme l'étaient Urgum et Divina, il y avait, dans ce rituel, quelque chose de très romantique. Ah… la jeunesse ! Et vas-y que je te renifle, et que tu me renifles à ton tour… Et comme cela, parfois durant des heures… Au point qu'il fallait intervenir.

Enfin bref, la Matramama, au sourire publicitaire, s'apprêtait à prononcer la formule consacrée, quand tout à coup, le hasard voulut qu'une énorme licorne déboule comme une furie sous la tente. (En fait, le hasard n'avait rien à voir là-dedans. C'était encore un coup des dieux barbares. Consternés de voir leur champion se prêter avec autant de docilité à ce mariage à la noix, ils avaient eu l'idée de cette petite surprise pour pimenter un peu la soirée.)

La licorne, incontrôlable, s'en donnait à cœur joie. Elle galopait, ruait, retombait sur les tables débordantes de victuailles, et intoxiquait l'air d'un fumet à vous faire tourner de l'œil. Sa corne était aussi longue que la lance d'un fantassin, et des gouttes verdâtres contenant de la soude caustique perlaient à la pointe. Quelle pagaille ! Pris de panique, les Mains-douces couraient dans tous les sens en poussant des cris stridents. Se tapissant dans les recoins et sous les tables pour tenter d'échapper à la bête, ils comptaient, bien entendu, sur Urgum, l'unique sauvage de l'assemblée, pour les défendre. Après tout, ils le valaient bien. N'étaient-ils pas des Mains-douces ? Alors que lui… Seul et sans aucune arme (les parents de Divina lui avaient interdit, non sans une certaine condescendance, le port de la hache le jour du mariage), Urgum avait toutes les chances de mourir piétiné sous les sabots de la créature, ou démembré par sa corne, avant d'être dissous par l'acide qui s'en échappait. Mais c'était le cadet de leurs soucis. Ce qui comptait pour ces gens sans scrupules, c'était que la question de la licorne soit traitée au plus vite et qu'il reste un peu de quoi manger pour continuer à festoyer, avec ou sans le jeune marié.

Divina était bien la seule à se soucier d'Urgum. Avec une infinie douceur, elle posa sa main sur l'épaule du Barbare en lui assurant qu'il n'avait rien à lui prouver. Mais, à cette époque, elle ne savait pas encore à quel homme elle avait affaire. Urgum se dirigea à grandes

enjambées vers la bête qui saccageait tout sur son
passage. Divina tremblait : elle se voyait passer du statut
de jeune mariée à celui de veuve, sans avoir eu le temps
de dire ouf. Pourtant, elle n'avait vraiment aucune
inquiétude à se faire. En voyant Urgum s'approcher
d'elle, la licorne, interloquée, s'arrêta tout à coup.
L'animal et le Barbare se regardèrent droit dans les yeux
avec respect. Cela dura quelques secondes. Un murmure
glissa sur les bouches des Mains-douces. Il soufflait à
Urgum d'un ton agacé : « Alors, le sauvage, c'est pour
aujourd'hui ou pour demain ? Allez, qu'on en finisse.
Règle-lui son compte, les saucisses sont en train de
refroidir ! »

La licorne baissa la tête d'un coup sec et commença à charger. Trop tard. Urgum l'avait évitée en plongeant tête la première entre ses pattes, avant de refaire surface à l'arrière. Quelques secondes plus tard, le Barbare avait sauvé le festin, certes, mais les convives, eux, avaient perdu leur appétit dans la bataille. Et pour cause : Urgum avait planté ses dents acérées dans la croupe de la licorne pour lui arracher sa queue avant d'entraîner la bête hurlant de douleur hors de la tente !

– Vous pouvez maintenant échanger vos souffles, annonça enfin la Matramama, une fois que le Barbare eut rejoint Divina.

Mais presque personne n'entendit les paroles de la

matrone. La plupart des Mains-douces s'étaient évanouis, pendant que d'autres étaient encore occupés à vomir.

– Tu devrais avoir honte. J'ai très bien vu ce que tu as fait à cette pauvre créature sans défense, bêla Bêldath, le cousin de Divina, à Urgum depuis l'autre bout de la tente.

Mais Divina et Urgum n'entendirent pas. Plus rien au monde, à part eux, n'existait désormais. Le Barbare approcha son visage de celui de sa fiancée. Il était content de lui, sur un nuage. Le même ravissement s'emparait de Divina, lorsqu'une drôle de pensée l'alerta. Elle se fit la réflexion que si elle laissait Urgum passer les premières minutes de sa vie d'homme marié avec ce sentiment de suffisance et cet air de triomphe, ils ne le quitteraient jamais. Vite, elle devait faire quelque chose.

– Bon ? susurra-t-il alors que son nez touchait presque le sien.

– Et si tu allais te laver un peu avant…, glissa-t-elle.

– Quoi ?

– J'ai dit : « Et si tu allais te laver un peu avant ? »

– Qu'est-ce qui ne va pas ? C'est mon visage ? Qu'est-ce qu'il a ? demanda le Barbare.

Divina s'avança et regarda attentivement sa figure. Elle était taillée à la serpe, maculée de sang, de crottin de licorne, et il y avait même encore quelques crins jaunes, juste là, collés à la peau… Et pourtant, Divina ne remarqua rien de tout cela. Ce qu'elle voyait, c'étaient ces deux grands yeux verts, très brillants, qui la fixaient avec férocité. En même temps, elle lisait dans le regard de cet homme-là qu'il était prêt à tout pour lui faire plaisir. Tout allait donc très bien avec ce visage. Mais elle n'avait pas du tout l'intention de le communiquer à Urgum.

– Tu vas te laver, lui dit-elle sur un ton suave. Et après, je suis toute à toi.

Elle prit son air de sainte-nitouche, en lui lançant un clin d'œil. L'instant d'après, c'est avec un Urgum aussi propre qu'un sous neuf qu'elle échangea son souffle.

– Beurk, ça pour être cracra, c'est cracra ! lâcha Molly, lorsque Divina eut fini de lui donner les derniers détails de la cérémonie. Tu as dit que c'était une sale histoire… Et, c'est vrai, je suis toute barbouillée.

– Je n'aurais pas dû te raconter cette histoire de queue de licorne, regretta Divina.

– Ça va aller, la rassura Molly qui tentait de contenir ses nausées. Mais franchement, vous avez vraiment fait ça, échanger votre souffle, Papa et toi ? Beurk ! Euh pardon… Mais vous deux, comme ça, là… Vous êtes si VIEUX. Oh ! c'est trop bizarre.

Des épées, des pics et des saucisses

L'après-midi suivant, la salle de la caverne qui faisait office de cuisine bruissait d'excitation. Urgum, Mongoïd et Grizelda avaient fait une sacrée belle prise : un hippopotame tavelé, espèce rarissime, qu'ils avaient ramené à Golglouta. On l'avait coupé en quartiers pour en faire un méchoui géant qui rôtissait tranquillement au-dessus d'un brasier. Toute la troupe s'était rassemblée autour de

l'animal. Les ombres dansaient sur les parois de la salle. Et chacun admirait le spectacle des flammes s'envolant et léchant les énormes morceaux de viande qui dégoulinaient de jus appétissant. Mongoïd était particulièrement enjoué. Oh… Il y avait ce tas de viande, bien sûr… Mais il y avait mieux : Grizelda. Elle était assise là, sur le banc, l'air rêveur, les yeux tournés vers le feu qui se reflétait dans sa chevelure flamboyante. Quelle splendeur. Et en plus, il y avait une place vide juste à côté d'elle ! L'Ostrogoïde se tenait contre la paroi, à l'autre bout de la salle. Il venait de se passer la main sur les trois cheveux qui, d'habitude, se dressaient au sommet de son crâne. Il se creusait la tête en se demandant s'il y avait assez de place sur ce fichu banc, pour glisser son énorme séant. En même temps, il savait très bien qu'il n'aurait pas le courage d'aller s'asseoir là-bas. Ce n'était pas encore le moment.

La famille était à nouveau au complet. Enfin presque, puisque Ruinn était de garde en haut de la tour de guet. Ses frères s'en donnaient à cœur joie en racontant avec force détails le récit de leurs aventures de la veille à leur père.

– Si tu avais vu ça, P'pa ! lança Rack.

– Au milieu, carrément ! poursuivit Rick.

– Ouais, coupé en deux, le père Thompkinson. Mais vraiment en deux parties égales, tu vois ! précisa Rack.

– Trop fort, ce Olk. On devrait lui remettre le prix Nobel du massacre le plus sanglant de l'année, suggéra Rick.

– Ah ! ouais mortel, renchérit Rack. C'était trop gore.

Incroyable. Pour la première fois de toute leur vie, Rick et Rack étaient d'accord sur quelque chose !

– Le massacre le plus gore ? se moqua Urgum. Attendez un peu les gars… Faut quand même pas pousser. Bon d'accord, Olk est pas mal dans son genre. Mais si c'est vraiment du saignant que vous voulez, je suis votre homme !

– Pouah ! grogna Mongoïd. Tu parles ! Je suis sûre que Grizelda te bat à plate couture dans ce domaine, si elle veut.

Ça y était, il avait réussi à le placer, son petit compliment ! Il était temps de faire un pas en avant pour se diriger vers elle. Il prit une grande inspiration et s'avança prudemment.

– C'est pas trop mon style, les massacres gores, précisa Grizelda.

Mongoïd fut cloué sur place, la jambe suspendue au-dessus du sol. Il avait le sentiment que tous les regards étaient braqués sur lui. Il se sentait atrocement nul.

– Mais je suis sûre que Mongoïd, lui, s'en sort très bien, poursuivit Grizelda en jetant un regard complice à l'Ostrogoïde.

Un sourire ? Oui ? Non ? Ah, ah… On pouvait dire que ça y ressemblait un peu… et en même temps, pas tout à fait.

Subrepticement Grizelda glissa sur le banc pour faire assez de place au séant de Mongoïd. Le cœur de son prétendant explosait dans sa poitrine. Le souffle court, avec cet étrange sentiment d'être observé par la terre entière, il tituba jusqu'à elle, puis s'installa à ses côtés comme si de rien n'était. Elle ne se leva pas, ne bougea pas d'un millimètre, et cela alors que son épaule touchait presque la sienne. *Waouh* !

Pendant ce temps, à l'autre bout de la cuisine, Divina, qui affichait un air mélancolique, tournait les pages d'un exemplaire de *Moderne & Sauvage*. Elle cherchait quel vin était susceptible de bien accompagner l'hippopotame tavelé, tout en sachant pertinemment qu'ils boiraient tous de l'eau ou du lait fermenté, parce que c'était tout ce qu'il y avait à boire.

– Au fait, M'man, tu ne nous as pas donné tes impressions sur l'accident de ce pauvre Thompkinson…, fit remarquer Ruff.

– Il a eu ce qu'il méritait, répliqua-t-elle.

Et elle eut cette pensée qui d'un seul coup lui remonta le moral : « Au moins, ce bonhomme sans intérêt ne boira plus jamais de vin. Ni d'eau, ni de lait fermenté d'ailleurs. »

Urgum quant à lui souriait de toutes ses dents en polissant sa hache avec entrain :

– Je dois reconnaître que j'avais tort au sujet de l'argent, dit-il en s'adressant à Divina. En fait, c'est fantastique. Quand on pense aux bonnes bagarres qui nous attendent à cause de la moitié d'un tanna ! Imagine un peu quelle catastrophe aurait déclenché un sac de pièces d'or… J'ose à peine y songer.

Mongoïd n'écoutait plus. Lui et Grizelda, le regard plongé dans l'âtre, demeuraient silencieux. Mongoïd rêvait ou elle était en train de se pencher légèrement vers lui ? Si seulement il pouvait en être sûr, il oserait peut-être enrouler son bras autour de ses épaules…

POOOUUUÊÊÊT !

Tout le monde sursauta pour se précipiter vers la trompette d'alarme dans un coin de la caverne. Grizelda et Mongoïd, pour le moins déconcertés, demeurèrent quelques secondes sur leur banc.

– Rappelle-toi bien où nous en sommes restés, suggéra Grizelda. Et la prochaine fois, commence par là. Autrement, toi et moi, nous n'y arriverons jamais.

Chkling, pling, bing et rebing, les trois cheveux de Mongoïd se dressèrent sur sa tête et se tortillèrent comme s'ils dansaient. Grizelda se leva et se dirigea vers le living. Mongoïd lui emboîta le pas. Il planait. Quand ils rejoignirent le reste de la bande, le tube de cuivre crachotait des sons nasillards. C'était la voix de Ruinn :

– Waouh ! Les voilà. Ils arrivent, avec leurs machines

de guerre et tout et tout. Il y en a des centaines !

– Est-ce qu'on va les attaquer jusqu'au dernier ? demanda Molly.

– Humm… ça dépend, répondit Urgum. À ton avis, dans combien de temps le dîner sera prêt ?

– Oh ! à la louche, je dirais qu'il faut encore trois bons jours, affirma Robbin, tenant sous le bras un seau plein de sauce qu'il touillait.

– Trois jours ? Et ils sont des centaines ? soupira Urgum très concentré.

Sa tête était sur le point d'exploser. Penser à un chiffre était déjà bien assez pénible comme cela, alors deux à la fois, quelle plaie !

– Bon, Mongoïd, décide : tu crois qu'on a le temps ?

– Affirmatif, déclara l'Ostrogoïde en se frottant les mains l'une contre l'autre. Un peu de casse avant de casser la croûte… Il n'y a rien de mieux pour se mettre en appétit.

– Des centaines, c'est beaucoup Urgum, glissa Divina. J'espère que vous avez une bonne tactique.

– Bah ! déjà, on va éviter de leur serrer la pince, lâcha-t-il en esquissant un large sourire.

Bien sûr, Divina y répondit en fronçant son fameux sourcil d'un air sévère. Mais, pour une fois, il n'y prêta aucune attention. Il avait d'autres chats à fouetter : il fallait défendre le monolithe.

Urgum donna les ordres. Les garçons devaient aller sur la corniche pour préparer de nouveaux rochers-écrabouilleurs, puis ils les lâcheraient sur tous ceux qui passeraient en dessous pour les réduire en bouillie. Grizelda serait postée en haut de la tour de guet pour identifier les officiers au sein de l'armée. Sa mission : les neutraliser rapidement pour mettre les troupes en déroute. Quant à Mongoïd, il porterait son dentier de combat, et se tiendrait à la droite d'Urgum.

– Tu veux rester à l'abri au fond de la caverne, très chère ? demanda Urgum à Divina, dont le sourcil gauche restait toujours relevé.

– Certainement pas. Je dois aller me préparer et prendre ma place à côté d'Olk.

Et elle repartit dans la cuisine comme une furie.

– Je te parie qu'elle est allée chercher la broche, glissa Molly, excitée comme une puce. Depuis le temps qu'elle est sur le feu, elle est chauffée à blanc.

– Ou alors le grand couteau à lame recourbée dont on se sert pour éviscérer le gibier, suggéra Robbin en tressaillant. Imagine que tu as ce grand truc tout tordu enfoncé dans le gosier !

– Beurk… ! acquiescèrent les autres.

Leur mère allait-elle remporter le prix Nobel du massacre le plus sanglant de l'année ? Suspense. Elle sortit de la cuisine et reparut dans le living, ne tenant ni broche, ni couteau à éviscérer, mais un plateau qui débordait d'amuse-gueules.

– Tu es tombée sur la tête ou quoi ? s'exclama Urgum, perplexe.

– Ce sont des gens du palais. Qu'il s'agisse d'une bande de brutes ou non, ils sont venus nous rendre visite et nous devons les accueillir, expliqua Divina. Et s'ils sont incapables de se tenir correctement, ils regretteront d'avoir fait le voyage jusqu'ici.

– Mais tu vas te faire trucider !

– N'importe quoi ! Tu as déjà vu quelqu'un se faire trucider parce qu'il propose à ses invités des petites saucisses et du guacamole de champignon ?

L'instant d'après, chacun fila à son poste. Molly et Urgum étaient seuls dans la caverne.

– Tu n'as pas dit ce que tu allais faire, Papa, lui dit-elle.

– Je me réserve une mission spéciale, lui confia-t-il.

Il mit son chapeau, prit sa hache, une chaîne en lames de rasoirs, traversa le living et disparut dans le couloir.

– Quel plan ? demanda Molly.

Elle s'empara d'une torche et suivit son père. Mais où allait-il comme ça ? Pas se coucher quand même ? Non. Urgum s'arrêta devant l'entrée des toilettes.

– Finissons-en avec cette histoire de taxes à la manchicoise, grommela-t-il. Et c'est aujourd'hui ou jamais. Je vais les attaquer par-derrière. Comme ça, même s'ils tentent de battre en retraite, je leur réglerai leur compte. De toute façon, si on les laisse s'enfuir, ils reviendront.

– Mais pour ça, il faut que tu les contournes. Ils vont te repérer !

– Pas si je me sers du cadeau que nous a fait notre ami Hunjah. Il y a désormais un passage secret qui mène à l'extérieur, sourit Urgum. Regarde !

Il entra dans la petite salle et pointa du doigt le trou dans le sol.

– J'ai ma hache et ma chaîne de lames de rasoirs, alors ça devrait aller. Et puis, il y a cette vieille carne, mon cheval, quelque part dehors. Dès que j'aurai remis la main dessus, je serai prêt à me battre.

– Mais ça ne te fiche pas la trouille de te retrouver tout seul face à une armée ?

– Et de quoi est-ce que je pourrais bien avoir peur, hein ? demanda Urgum.

– De... mourir ! lâcha Molly d'un ton grave.

– Pouh ! Ça fait pas peur ça. Tiens, mais puisque tu en parles, s'il m'arrive quoi que ce soit, il faudrait bien prendre soin de ta maman. On a besoin d'elle dans ce désert. N'importe qui ne part pas à la guerre armé d'un plateau de petits-fours !

– Bien sûr Papa, promit la petite fille. Et je me débrouillerai pour savoir qui t'a tué, tu peux me faire confiance.

– Ah ça ! c'est chouette. Et il ne faut pas lésiner sur les moyens. Si tu dois le suivre à la trace, vas-y. Si tu dois le traquer sans relâche, fais-le. Qu'importe le temps que ça prendra, même si c'est dur, jure-moi une chose : que tu le retrouveras !

– Oui, d'accord, et après, je le tuerai de mes propres mains, s'excita Molly.

– NON ! Si tu retrouves celui qui m'a tué, assure-toi qu'il a ma hache et transmets-lui mon bonjour. Je veux que mon arme aille à quelqu'un qui la mérite. Et la seule personne qui la mérite vraiment est celle qui sera capable de me tuer. Promis ?

– Promis…, répéta Molly, peu convaincue. Alors, au revoir.

– Au revoir, Molly, fit Urgum.

La gamine dévisagea son père en se demandant si c'était la dernière fois qu'elle le voyait vivant. Elle se concentra donc pour fixer cette image de lui pour toujours. Et c'est alors qu'Urgum sauta dans le trou des toilettes, où il disparut.

Le souffle divin

Molly resta seule. Tout se mélangeait dans sa tête. Ah ! si seulement elle avait suivi les conseils d'Urgum au lieu d'essayer de gagner ces stupides pièces, rien de tout cela ne serait jamais arrivé ! Et au moins, son père n'en serait pas réduit à devoir se battre seul contre une armée entière. Oh… Il ne s'en plaignait pas ! Au contraire, l'idée de se battre l'excitait. Seulement, cette fois-ci, il pouvait vraiment y laisser sa peau.

Si mourir au combat était la destinée de son père, c'était le moment de faire preuve de courage. Mais pourquoi fallait-il que cela arrive alors qu'elle venait à peine de faire sa connaissance ? Qui allait lui apprendre à devenir une vraie Barbare à présent ? Et elle, elle devait lui montrer… Euh, quoi déjà ? Eh bien, ce qu'il y avait après la lettre *U* d'Urgum. Tandis qu'elle traversait la grotte, le regard de la fillette glissa sur l'étagère où reposait le fameux exemplaire du magazine *Moderne & Sauvage*. Elle écrasa une larme en se rappelant l'enthousiasme avec lequel son père l'avait tendu au collecteur d'impôts. Elle s'empara du magazine, la main tremblante et en tourna les pages, pour vérifier si l'article dans lequel Urgum avait repéré la première lettre de son prénom était aussi embarrassant que dans son souvenir. À son grand étonnement, elle tomba sur un portrait absolument captivant intitulé *Urgum, le héros du Désert perdu*. Le tout assorti d'une très belle image représentant le Barbare brandissant sa hache.

– Je deviens folle ou quoi ? demanda-t-elle aux deux petites figurines à l'air exténué trônant sur l'étagère.

Jusque-là, elle n'avait jamais fait attention à elles, bien qu'elle sût qu'Urgum y était très attaché.

– Pas de doute, je suis folle. Voilà que je parle à deux statues, maintenant… Ah ! si seulement vous n'étiez pas que des objets. Si seulement vous pouviez faire quelque chose… On doit tous mourir un jour, mais est-ce qu'on

ne pourrait pas me laisser encore un peu mon Papa ? C'est tellement injuste !

Se mordant les lèvres pour réprimer un sanglot, Molly se précipita hors de la caverne. Elle n'avait pas envie de rejoindre ses frères sur la corniche. Elle ne voulait pas qu'ils la voient dans cet état d'inquiétude. Aussi se dirigea-t-elle vers la tour de guet pour rejoindre Grizelda à son poste d'observation. Elle, au moins, ne se moquerait pas d'elle et ne poserait pas de questions idiotes. Grizelda Barbirella… À défaut de faire de Molly une Barbare, elle l'aiderait à devenir une redoutable guerrière. Et c'était toujours cela de gagné.

Ce n'est que lorsqu'elles furent assurées d'être vraiment seules que les statues clignèrent des yeux et se mirent à bouger. Un long soupire fatigué s'échappa de leurs petites bouches et elles s'inclinèrent pour s'asseoir sur l'étagère.

– Qu'est-ce qu'il lui prend ? soupira Tangor. Urgum va s'en sortir. C'est juste une armée de comptables.

– Oui, mais ils sont très nombreux. Et bien armés. La chance pourrait tourner en leur faveur, affirma Tangal.

– Et qu'est-ce qu'on y peut ? demanda Tangor en se massant la nuque. Pouuuuh… J'ai un sacré coup de barre. Brasser ces trillions d'atomes d'encre, ça m'a complètement rincé.

– Tu sais que si Urgum meurt, on l'aura sur les bras et qu'il faudra le nourrir pour l'éternité.

– Bon, et alors ? Prenons le risque ! lâcha Tangor. Oh…
j'chuis claqué.

– Mais pense à ce qui arriverait à Molly, insista sa sœur
en agitant nerveusement ses pieds dans le vide. Elle n'a
rien demandé, elle. C'est nous qui l'avons débarquée
dans cette histoire. On a des responsabilités envers elle.
On doit la protéger.

– Ah, mouih, tiens…, bredouilla Tangor. Je n'avais pas
vu les choses sous cet angle-là.

– Souviens-toi de ce qu'elle a dit : « Si seulement vous
n'étiez pas que des objets. Si seulement vous pouviez
faire quelque chose… » Et si on agissait ? Elle pourrait se
mettre à croire en nous ! Et quelques croyants de plus,
par les temps qui courent, c'est pas du luxe.

– Alors, qu'est-ce qu'on fait ? s'interrogea Tangor. On
pourrait provoquer un tremblement de terre, une
avalanche, une pluie de cobras ou ch'sais pas quoi…

– Non, pas de catastrophe de ce genre. Les dieux des
impôts nous tomberaient dessus à bras raccourcis, si on
compromettait une collecte d'impôts légitime ; crois-moi
qu'on n'aurait pas fini de les entendre. Parce que dans le
genre procédurier ceux-là…

– Légitime…, marmonna Tangor qui venait d'avoir
une idée. Mais bien sûr, c'est ça ! Il y a un truc important
qui nous a échappé. Viens vite, on peut encore récupérer
l'affaire si on se dépêche.

Une fois encore, les petites statues fermèrent les yeux

et s'immobilisèrent. Au même moment, un vent glacial souffla sur le palais Laplaie où la damezarlaide faisait les cent pas à l'étage du département des Impôts. Elle était hors d'elle : tous les bureaux étaient vides. Et lorsqu'elle en comprit la raison, cela la rendit encore plus folle de rage. Toute l'explication était résumée par la présence d'un formulaire F 28 dans le registre des transmissions. L'ensemble du personnel avait été détaché en urgence pour collecter une dette s'élevant à… un demi-tanna de bronze ! La damezarlaide n'en croyait pas ses yeux. C'était tout simplement ridicule. Mais légal. Et elle n'y pouvait rien. Dans un mouvement d'énervement, elle bascula dans son fauteuil, repoussa le carnet sur son bureau et se mit à marteler la surface de celui-ci de ses

doigts griffus. Ça allait chauffer ! Un courant d'air froid se mit alors à souffler dans la pièce. Le registre s'ouvrit. Et clac ! Elle le referma aussitôt d'un coup sec. Mais le courant d'air repassa, ouvrant le livre à nouveau. La damezarlaide regarda, bouche bée, les pages tourner toutes seules. Un autre courant d'air souffla de l'autre côté et elles repartirent dans l'autre sens. Elles tournaient à droite, puis à gauche, se froissant, froufroutant, comme si une main invisible cherchait frénétiquement un indice à l'intérieur du livre.

Puis, soudain, cette agitation s'arrêta aussi vite qu'elle avait commencé et il y eut un grand silence. La damezarlaide jeta un coup d'œil prudent sur le registre ouvert. Dans la seconde qui suivit, elle le ramassa précipitamment, courut comme une dératée jusqu'à son cheval, battant l'air de sa longue queue, et sauta sur sa monture.

Les deux courants d'air soufflèrent de soulagement.

– J'ai bien cru qu'on ne le retrouverait jamais, s'étrangla Tangor.

– Moi aussi, confessa sa sœur. Espérons qu'il n'est pas trop tard.

Le grand spectacle

Mongoïd rejoignit Olk à son poste. Il était fin prêt à combattre. Son nouveau dentier de combat était solidement fixé à sa mâchoire et il serrait un colossal marteau de métal, l'arme fétiche des Ostrogoïdes. Les troupes de l'Armée territoriale des impôts étaient déjà massées devant l'entrée du monolithe, et le petit collecteur jouait des coudes pour se frayer un chemin parmi ses hommes pour prendre la tête de la meute.

– Ch'cwois q'chais mieux chi chais moi qui engagze les pouwpawlers avec lui, crachouilla Mongoïd, gêné par son dentier.

Divina, qui se tenait, elle aussi, aux côtés de la sentinelle, haussa le sourcil, atterrée. Était-il vraiment judicieux de laisser Mongoïd engager des *pourparlers* avec l'ennemi, la bouche encombrée d'un tel attirail ? Enfin… Elle préféra ne rien dire, et donna une petite secousse à son plateau pour mieux disposer les vol-au-vent au foie gras qu'elle avait préparés.

– Ohé, c'est nous ! Il y a quelqu'un ? lança Perkins

d'un ton sarcastique en toisant du regard les membres du comité d'accueil qui gardaient l'entrée du monolithe.

Un rire moqueur roula dans les troupes.

– Monsieur Perkins, comme on se retrouve ! s'exclama Divina d'un ton jovial. Seriez-vous tentés, vous et vos hommes, par quelques amuse-bouches, par hasard ?

Un « hummmm » dégoulinant d'envie passa sur les lèvres des fonctionnaires.

– Taisez-vous ! ordonna le collecteur à ses hommes. J'ai pensé qu'il était temps de vous présenter Mlle Blenkinsop, du département du Classement des factures.

– Vous me pardonnerez si je ne lui sers pas la main ? s'étrangla Divina.

Tout à coup, un
boucan effroyable de
grincements et de
cliquetis déchira l'air.
Cela venait du milieu du
bataillon. Les cavaliers, postés à l'avant du cortège, firent un
écart et laissèrent passer un immense canon tiré par deux
bœufs. Une femme de petite stature, chaussée de
cuissardes, se tenait à califourchon sur l'imposante
machine de guerre. Avec une minutie d'orfèvre, elle pointa
l'engin en direction de la poitrine d'Olk, tout en serrant
dans sa main une ficelle enduite de goudron et un silex.

– Est-il déjà armé, Mlle Blenkinsop ? demanda le
collecteur.

La femme soldat hocha la tête, et bondit par
terre pour prendre place à l'arrière du canon.

– C'est votre dernière chance ! menaça Perkins.

Soit votre copain Gras-double fiche le camp, soit Mlle Blenkinsop l'explose à coups de boulets de canon.

– Waouh, vous imaginez ça ? s'exclama Ruinn sur la corniche. On pourrait entrer dans le ventre d'Olk pour voir comment ça fonctionne à l'intérieur.

– Ce truc-là va le tuer à coup sûr, glissa Ruff. Il faut qu'il bouge pour esquiver le tir.

– Olk ne bougera pas, affirma Robbin. Il a sa fierté, tu le connais.

Un sourire de dément éclaira le visage du collecteur :

– Préparez la mise à feu, Mlle Blenkinsop !

Mlle Blenkinsop s'exécuta et frotta le silex contre la ficelle enduite de goudron. Ni une ni deux, Mongoïd lâcha son marteau, le temps de cracher dans ses mains.

CH█████ – KABOUM – PFU███T – SHPLAT – KLONK – « HOURRA

Puis, il le reprit, et le souleva de toutes ses forces jusqu'à son épaule. Enfin, il s'interposa entre le canon et Olk.

– Dégagez de là ! aboya Perkins.

– Ech-que vous ne pouwez pas plutôt dgemandger à vos cavaliers qui se tgrouvent chur l'allée des Chourires de che ranger chur un cheul côtché ?

– Qu'est-ce que c'est que ce charabia ? Je n'ai pas compris un traître mot de ce que vous avez dit !

– Tchant pi pour fous ! articula Mongoïd.

– FEU ! cria Perkins.

Mlle Blenkinsop jeta la mèche enflammée dans le canon.

Le boulet sortit comme une fusée. Mongoïd prit son élan et le frappa au vol pour le lober en direction de l'allée des Sourires, où il alla percuter plusieurs fonctionnaires qui tombèrent comme des quilles. Quelle émotion ! Là-haut sur la corniche, les garçons exultaient.

NEURF, NEURF, NEURF !

– MORTEL ! hurlèrent-ils.

– Ah ! belle action, admit Ruinn. Chapeau, vraiment !

– Ohé-ohé, ohé-ohé, ohé-ohé, ohé-ohéééé, Mongoïde, Mongoïdeuuuh ! chantait Molly en sautant.

De tous, c'était sans aucun doute sa supportrice la plus fervente. Elle faisait des bons dans les airs en compagnie de… mais oui… Grizelda ! Mongoïd avait bien vu. Il était fou de joie ! Mais il descendit vite de son nuage : un ricanement idiot le ramena à la réalité.

NEURF, NEURF, NEURF !

Interloqué, Mongoïd se retourna vers Olk :

NEURF, NEURF !

– Ch'est toi qui tche marre comme cha, mon potche ?

NEURF, NEURF !

– Il n'y a rien de drôle ! vociféra Perkins. Vous n'avez pas l'air de vous rendre compte que j'ai en ma possession un formulaire F 28. Il m'autorise à réduire en cendres ce monolithe et tous ses résidents avec. J'ai des archers, du feu pour enflammer leurs flèches, des javelots. Et toutes ces armes sont pointées vers vous. Si j'étais vous, j'arrêterais de jouer au plus fin et je me rendrais. Si vous résistez, j'ai aussi un escadron de cavaliers armés de lances qui n'attendent qu'un signe de ma part pour vous terrasser.

– Ch'crois bien qu'on a achez parlé comme cha. On va pacher à la phage 2.

– Soit, mais avant de commencer, quelqu'un veut-il un canapé au foie et à l'ananas ? s'enquit Divina.

Cette fois-ci, personne ne se manifesta. L'armée était prête à donner l'assaut. Arcs bandés, épées sorties de leurs fourreaux, lances dressées… Toute la plaine retenait son souffle face au véritable bain de sang qui se préparait. Les yeux de Mongoïd oscillaient de droite à gauche. Ses doigts, serrés sur le manche de son marteau, pâlirent. Surplombant le champ de bataille, les garçons avaient positionné les rochers juste au bord de la corniche, tandis que Djinta et Percy se pourléchaient le bec en tournoyant dans le ciel.

Un silence de mort figea la plaine du Désert perdu. La tension était à son comble. Tous les regards étaient braqués sur Perkins. Le petit homme terne rassemblait ses forces pour mener à bien la plus importante mission de sa vie. C'était un grand jour. Le jour de sa vie. C'était lui le chef des opérations. Il commandait ! Et il adorait ça. Il aurait voulu que ce moment dure et ne s'arrête jamais. Car tout ce petit monde, là, devant lui, le respectait. Enfin presque…

NEURF, NEURF, NEURF !

– Ça suffit ! glapit le collecteur, les yeux exorbités.

Furieux qu'on lui gâche son plaisir, il continua à vociférer en brandissant une massue :

– C'était votre dernière chance, mais vous n'avez pas su la saisir. Quand j'aurai donné le signal en baissant cette massue, vous serez des hommes morts. Vous entendez ! 3, 2, 1…

FUiiiiit, TCHAK!

" ARGHH ! "

La massue tomba à terre. Une flèche à l'empennage orangé venait de transpercer la paume de Perkins. Encore un coup de Grizelda !

Un chuchotement s'éleva dans les rangs de l'armée :

– Arghh ? C'est bien ce qu'il a dit ? Je croyais qu'il allait dire « à l'attaque ».

– Et est-ce qu'il a vraiment baissé sa massue ? Il l'a lâchée, non ? Ça compte quand même, ça ?

– Je ne sais pas.

Soudain, dans le camp des Barbares, Molly, hors d'haleine, débonla au côté de Divina.

– La damezarlaide est là ! cria-t-elle. On l'a vue arriver depuis la tour de guet, Grizelda et moi.

La femme-lézard aux cheveux blancs ne tarda pas à faire son apparition. Elle remontait au galop l'allée des Sourires. Les fonctionnaires, lorsqu'ils l'aperçurent, se mirent à murmurer.

– Attaquez-les quand même ! hurla Perkins en agitant sa main pleine de sang. Allez-y ! Foncez !

Mais ses paroles tombèrent dans le vide. Tous suivaient du regard la damezarlaide, qui arrêta sa monture, luisante de sueur, à hauteur de Divina.

– Repliez-vous, ordonna la créature aux agents territoriaux d'un ton tranquille et très assuré. Et cessez de tirer.

Elle se dirigea alors vers le collecteur, qui venait juste d'arracher la flèche de sa main avec les dents.

– Qui a pris la décision pour le F 28 ? lui demanda-t-elle.

– Moi, gémit-il en laissant tomber la flèche à terre. Pour dette à régler et refus de paiement.

– Mais il n'y a pas de dette ! affirma sa supérieure.

– Si : un demi-tanna de bronze ! insista le bonhomme tout en entourant sa main sanguinolente d'un mouchoir. Ils se sont montrés anticoopératifs au possible et cela dure depuis des mois.

– Vérifiez donc là-dedans ! s'emporta la damezarlaide

en le giflant avec le registre. Ils ont un avoir d'un demi-tanna !

Un concert de « Hein ? » se fit entendre. La damezarlaide se tourna alors vers Molly :

– Lorsque je suis venue vous voir la première fois, vous nous avez versé la somme de quatre tannas, alors que vous en deviez trois et demi. Par conséquent, vous aviez un demi-tanna d'avoir. Tenez, regardez, tout est écrit noir sur blanc. Si seulement *quelqu'un* s'était donné la peine de regarder.

– Alors, vous voulez dire…, balbutia le collecteur, que tout ceci est…

– Un tout petit peu disproportionné, non ? suggéra la damezarlaide d'un ton froid.

– Mais, mais…, bégaya le collecteur.

– Je vous colle un blâme ! déclara la damezarlaide. Et je vous demande de vous excuser auprès de ces personnes, qui sont de bonne foi et en règle avec nos services.

– Quoi ? M'excuser ? Moi, un haut dignitaire du palais ? Auprès de ces sauvages ? Jamais de la vie ! s'exclama Perkins.

– Peut-être que si je vous laissais ici, ces gens sauraient vous faire changer d'avis ? Je suis sûre qu'ils ont des arguments très convaincants.

– Ah cha ch'est chûr ! confirma Mongoïd.

NEURF, NEURF, NEURF !

– Non, beugla le collecteur. Vous ne pouvez pas me laisser ici. S'il m'arrive quelque chose, vous aurez à en répondre. Vous êtes ma supérieure hiérarchique…

– Désolé mon cher, pas si je vous renvoie…

– Essayez donc, et je remplis un formulaire ND 19c pour licenciement abusif. Et si je n'obtiens pas gain de cause, je n'hésiterai pas à saisir le tribunal administratif pour faire appel.

La damezarlaide tira une langue noire qui lui revint en pleine face, comme un ressort. Soudain, Molly s'avança pour prendre la parole :

– Je crois que M. Perkins a fait un excellent travail.

Stupéfaction générale.

– Ah… vous voyez ? bondit le collecteur.

– Sans lui, je n'aurais jamais pu comprendre les rouages du système fiscal, avec ses impôts et ses taxes. Et j'aurais été une voleuse toute ma vie, sans même le savoir et sans me douter que je devais de l'argent à l'État.

– Tu es restée trop longtemps au soleil, Molly, souffla Divina entre ses dents.

– Mais non, je suis sincère. D'ailleurs, maintenant que tout est arrangé, j'aimerais bien vous inviter à dîner, monsieur Perkins, pour vous remercier.

– Moi, à dîner ?

– Oui, j'ai une amie qui tient une petite gargote près du croisement. Si vous prenez l'allée des Sourires, vous tomberez dessus. Vous n'avez qu'à suivre la musique, vous ne pouvez pas la manquer. Dites à la patronne que vous venez de la part de Molly.

– C'est vrai ?

– Mais oui, insista-t-elle. Je suis sûre qu'elle sera ravie de vous… Euh… de vous avoir à dîner.

Face à l'étonnement de l'assistance, Molly persista :

– Allez-y, je vous en prie, vraiment, ça me fait plaisir.

Le collecteur sauta sur sa monture et partit au galop. Là-haut, sur la corniche, Robbin esquissa un petit sourire satisfait.

– Et tu trouves ça drôle, toi ? lui demanda Ruinn.

– Ha, oui ! pouffa Robbin. Je te garantis que s'il y avait un prix Nobel du massacre le plus sanglant de l'année, il faudrait le décerner à Molly !

En bas, devant l'entrée du monolithe, Divina tendit son plateau à la damezarlaide.

– Je suis désolée, glissa-t-elle. Je n'ai pas de scorpions.

– Et moi, je suis navrée de la tournure qu'ont pris les évènements, s'excusa la damezarlaide.

La créature leva les yeux vers la corniche et considéra les rochers-écrabouilleurs. Puis son regard glissa de la tour de guet à Grizelda, dont l'arc était toujours bandé, avant de se poser sur la lame d'Olk et le dentier de combat de Mongoïd.

– On dirait que je suis arrivée à temps, fit-elle remarquer.

Petit à petit, l'atmosphère se détendit.

Grizelda abaissa son arc, Mongoïd décrocha son dentier, les garçons décollèrent des rochers et quelques agents territoriaux s'avancèrent d'un pas incertain vers le plateau d'amuse-bouches.

– Voilà qui est mieux, sourit Divina, soulagée et contente d'elle. Tout le monde a gardé son calme, et finalement personne n'a été grièvement blessé.

C'est alors qu'un hurlement terrifiant se fit entendre à l'arrière des troupes :

La dernière bataille

... HHHH !

Après avoir glissé au fond des latrines, Urgum était parvenu à se faufiler par la crevasse pour regagner l'air libre. Il était redescendu le long de la falaise, au pied de laquelle il avait retrouvé son cheval. Bien sûr, ils s'étaient un peu chamaillés. Mais après avoir fait la paix, le Barbare avait grimpé sur son dos et patienté bien à l'abri des regards, l'oreille tendue pour savoir si les hostilités avaient commencé. Mais rien. Pas un bruit. Autant de calme, c'était suspect. Et bientôt, Urgum céda à l'inquiétude. Que pouvait-il bien se passer là-bas ? Est-ce que leurs lignes de défense avaient tenu ? Peut-être que ses idiots de fils avaient mal visé et fait tomber les rochers-écrabouilleurs sur Olk ou Mongoïd ? On ne savait jamais avec eux… Ou alors, peut-être qu'un des archers avait réussi à toucher Grizelda ? Peut-être que le collecteur était parvenu à entrer dans le monolithe et qu'avec ses troupes, il était en train de mettre la grotte à sac, retenant Molly et Divina prisonnières… ?

Sa hache dans une main et une lourde chaîne de lames de rasoirs dans l'autre, Urgum éperonna son cheval et partit droit devant lui, à brides abattues. Et ce fut ainsi que le Barbare attaqua l'ennemi par-derrière, surgissant de l'ombre et en hurlant :

Ai-je les chocottes ?
NON !
Suis-je une chochotte ?
NON !
Parce que je suis…
Complètement cinglé !

Les soldats les plus proches tournaient le dos à Urgum quand celui-ci déboula sur le champ de bataille. Lorsque Divina leur avait proposé de goûter ses amuse-bouches, leur vigilance avait faibli. Ils avaient abaissé leurs boucliers et rengainé leurs épées afin de répondre à son invitation. En entendant le cri de guerre d'Urgum, ils se retournèrent pour tirer leurs armes de leurs fourreaux, mais, ils furent pris de court. Deux cavaliers, qui se trouvaient sur les côtés, parvinrent à se dégager ; en revanche, les autres n'eurent pas le temps de se mettre en formation pour affronter leur assaillant.

Ta-gadak-ta-gadak-ta-gadak...

Alors que son cheval fonçait droit sur les troupes, Urgum s'accorda un instant de rêverie. Quel sacré canasson il avait là ! D'accord, cette vieille carne était caractérielle et n'en faisait qu'à sa tête. Mais lorsqu'il s'agissait de se battre, elle n'avait pas son pareil. L'animal était attentif aux moindres faits et gestes de son maître et lui obéissait avec respect et courage. « Mon bon vieux cheval », pensa Urgum.

Ta-gadak-ta-gadak-ta-gadak...

« Vieil idiot à grosse bedaine », pensait le cheval, tout en chargeant. L'animal savait qu'en général les hommes aiment les chevaux et s'efforcent de ne pas leur faire de mal. Il savait aussi qu'en général, les hommes n'aimaient pas trop Urgum. Aussi, c'est avec un immense plaisir qu'il livrait aux foudres de l'ennemi ce gros bonhomme suant et puant qui le chevauchait. La tête baissée, il bouscula tout le monde sur son passage pour se diriger droit sur celui qui avait l'air le plus brutal, le plus méchant, le plus sournois des agents territoriaux.

Ta-Gadak-ta-Gadak-ta-Gadak...

– Oh non, voilà Urgum ! vociféra Divina en entendant crier les premières victimes à l'arrière des troupes. Il ne sait pas que tout s'est arrangé.

– Dites-lui de s'arrêter ! ordonna la damezarlaide.

– STOP ! hurlèrent les fonctionnaires comme un seul homme.

– Ah, la paix, à la fin ! hurla Urgum. Vous n'aviez qu'à réfléchir avant de débarquer ici pour rançonner les petites filles.

Il était trop tard. Que faire, sinon se battre ? Une partie des agents territoriaux attaquèrent pour tenter de sauver leur peau. Ils encerclèrent le Barbare, et pointèrent sur lui épées, dagues, lances, épieux et tout ce qu'ils avaient de plus acéré : les coups pleuvaient, les lames le transperçaient et le tailladaient, il sentit un moment qu'on lui tapait dans les jambes avec un bâton. Mais c'était un guerrier, il ne devait pas penser à la douleur et se concentrer sur le moyen d'anéantir l'ennemi. À sa droite, il y avait un cavalier (monsieur Peterson, du département des Prélèvements des surtaxes) qui le frappait avec un long sabre.

– Commençons par toi ! hurla Urgum.

Il le frappa à toute volée avec sa hache. Et...

CHTONK !

En plein dans l'épaule. Le cavalier s'effondra. Les autres combattants étaient toujours là, prêts à en découdre avec Urgum. Et il y avait ce bâton, là, qui lui martelait le tibia. Mais la plus grande menace vint de la part de Mme Patterson, du département des Facilités de paiement rejetées : armée d'une lance, elle lui porta un coup à la joue et y laissa une longue estafilade.

– Et maintenant, toi ! cria Urgum en levant sa lourde chaîne de rasoirs.

FUITFUITFUIT KLINK !

Lancé d'un coup sec, le terrible lasso ondula dans les airs avant de venir s'enrouler autour du poignet de Mme Patterson. Urgum tira, et...

CHUiiiiiR... PLONK !

La main tomba par terre.

– ARRÊTE, ARRÊTE ! supplièrent les fonctionnaires apeurés.

Mais Urgum n'en était qu'au début des hostilités.

– Il est un peu tard pour être désolés, brailla Urgum. À qui le tour ?

C'est alors que M. Timms, du comité des Injonctions de paiement majorées lui balança un marteau dans les côtes. Oh, trois fois rien ! Elles ne lui servaient pas à grand-chose de toute manière… Urgum répliqua par un coup de pied d'une puissance incroyable.

FDOÏNG !

L'assaillant fut précipité au sol, où une fin horrible l'attendait sous les sabots de son cheval qui, pris de panique, le piétina.

Une pluie de coups ne cessa de s'abattre sur Urgum, tandis qu'il se frayait un chemin entre les agents territoriaux. Oh ! la routine… Il ne voyait personne parmi cette foule de guerriers inexpérimentés qui eût pu le stopper, lui, la légende vivante du Désert perdu. Bon d'accord, une flèche était plantée dans son épaule, une dague à la lame crantée était enfoncée dans son bras, il était blessé un peu partout à la tête, du sang coulait de toutes ses innombrables blessures, sa tunique et ses braies avaient viré au rouge vif… Mais, pour l'heure, c'était une griffure qui lui inspirait sa plus grande inquiétude, cadeau qu'il avait hérité lors d'une petite escarmouche avec un des fonctionnaires. Elle était d'un ridicule... Tout le monde allait se moquer de lui en voyant ça.

BLAM BING VZING SPLOTCH CHUIRP

Il s'ennuyait tant qu'il était à deux doigts de s'endormir. Une chose, cependant, le chiffonnait. Quoi qu'il fasse – avancer, reculer, se tourner – il sentait toujours le petit bâton lui frapper les jambes. Et cela commençait vraiment à lui taper sur les nerfs. C'était insupportable, il fallait que ça cesse ! Urgum baissa les yeux pour voir d'où cela provenait, inconscient du danger et ignorant les épées et les dagues qui miroitaient autour de lui. Or là, presque écrasé entre les pattes des chevaux dégoulinants de sueur et de sang et ruant à qui mieux mieux, il y avait un fantassin.

– Salut Urgum ! s'exclama Hunjah, du département de Gestion des moyens de paiement.

– Oh non ! gémit Urgum lorsqu'il se rendit compte

qu'il était nez à nez avec le Barbare le plus minable de tous les temps. Qu'est-ce que tu fabriques ici, Hunjah ?

– Eh bien, euh… C'est une longue histoire. Mais bon, en gros, comme j'avais un peu de mal à gagner ma croûte, j'ai dû prendre un petit boulot temporaire comme employé de bureau…

C'en était trop. Urgum éclata :

– HUNJAH ! JE SUIS LE BARBARE LE PLUS REDOUTABLE QUE LE DÉSERT PERDU AIT JAMAIS CONNU, ALORS EST-CE QUE TU VAS ARRÊTER DE ME TAPER SUR LA JAMBE AVEC CE MAUDIT BÂTON ?

– Mais, je ne peux pas, se justifia Hunjah. Je me suis planté aux tests de maniement d'épée et j'ai mal au cœur lorsque je monte à cheval. Et ça, tu vois, c'est la seule chose que j'ai le droit de faire…

Urgum resta sans voix. Pas de doute, Hunjah était vraiment le dernier des minables. Une telle bêtise, c'était désarmant. Et l'espace d'une seconde, Urgum hésita. Monsieur le chef des Nipeurderiens, la recrue la plus jeune, la plus grande et la plus sournoise de tout le département des Impôts, en profita pour tenter sa chance. Jusqu'alors, ce voyou dégingandé était resté caché derrière l'encolure de son cheval, sans quoi, à coup sûr, Urgum aurait reconnu la couleur vert morve si caractéristique de sa chevelure. Mais il profita de ce moment d'inattention d'Urgum pour surgir et sortir son long sabre à la lame émoussée. Il prit le Barbare à revers et tira sur les rênes de sa monture, qui se cabra. Puis, il brandit son arme à deux mains, la pointant vers le ciel.

– Cela fait longtemps que j'attends ça, couina le chef des Nipeurderiens.

Mais juste à l'instant où il tendait sa lame sur le cou d'Urgum, une flèche à l'empennage orangé transperça sa tempe et le tua sur-le-coup. Il roula à terre sans même avoir eu le temps de crier. Urgum se vidait de son sang. Cette fois-ci, c'était sérieux. Et tout ça à cause de qui…

– Hunjah, espèce de petite raclure ! beugla Urgum en pressant sa main contre la plaie. Regarde ce que tu as fait !

– Ce n'est pas moi. C'est toi qui me demandais pourquoi j'étais là. Enfin, comme je te disais, j'ai été admis comme employé de bureau…

Trop, c'était trop. Urgum tendit une main vers Hunjah, agrippa ses cheveux, et souleva sa tête qui se décolla de son cou, puis lui hurla en pleine face :

– TU VAS LA FERMER, HUNJAH ?

– Eh, pas la peine de crier comme ça, renifla l'autre. C'est toi qui voulais…

Soudain, on n'entendit plus un bruit. Lorsqu'ils se rendirent compte qu'Urgum était en train de discuter avec une tête coupée qui lui répondait, les soldats baissèrent leurs armes.

– LA FERME, LA FERME, LA FERME !

supplia Urgum, en s'effondrant sur son cheval. Autour de lui, tout commençait à vaciller.

– Arrête, on nous regarde, glissa Hunjah, embarrassé.

– LA FERME !

– D'accord, je la ferme si tu reposes ma tête à sa place, répondit Hunjah. Tu sais, je préférerais qu'on ne sache pas que j'ai raté le test de fitness.

– YARGHHHH !

lâcha Urgum épuisé en laissant tomber la tête qu'Hunjah se mit aussitôt à chercher à tâtons sur le sol.

Les soldats en avaient assez vu comme ça. L'heure de se replier avait sonné. Les cavaliers et leurs montures, les artilleurs et leurs canons, les archers et leurs flèches, tous s'animèrent subitement. C'était la grande panique. Horrifiés, les uns se marchaient dessus tandis que les autres trébuchaient en tentant de s'enfuir loin, le plus loin possible de ce bourbier. Et Hunjah courut les rejoindre, tenant sa tête bien droite sur son cou pour lui éviter de glisser.

Bientôt, Urgum, juché sur son cheval, fut seul au milieu du champ de bataille. Mais il ne s'en rendit pas compte, car le sang qui coulait de ses blessures l'empêchait de voir ce qui se passait. Il gardait une main sur son cou, tandis que de l'autre, il faisait tournoyer sa hache au-dessus de lui comme un fou furieux.

– YARGHHHH !

Venez un peu que je vous massacre ! hurlait-il. Montrez-moi ce que vous avez dans le ventre.

Le cheval s'ébroua. « Oh, la barbe ! » pensa-t-il. La damezarlaide, Divina, Mongoïd, Olk et Molly étaient absolument estomaqués par le spectacle qui venait de se dérouler sous leurs yeux.

- YARGHHHH !

Espèces de voleurs d'enfants ! Mains-douces... Ah ! Jean-foutre, oui ! Espèce de morves sur pattes ! Où êtes-vous ? Vous ne pouvez pas me tuer... Ou plutôt si, vous pouvez, car si je continue à attendre comme ça, vous allez me faire crever d'ennui.

Le cheval d'Urgum lâcha un long soupir. Il regarda autour de lui, et aperçut une touffe d'herbe miraculeusement épargnée par tout le sang qui avait été versé. Elle était là, juste devant ses sabots. « Pourquoi pas ? » songea-t-il. Et il baissa la tête pour brouter un peu. Cela ferait passer le temps. Car, lorsque Urgum était de cette humeur, cela pouvait durer des heures.

– Mais qu'est-ce qu'il lui prend ? demanda Molly en s'adressant à Mongoïd.

– Il est fou de rage, diagnostiqua Mongoïd. Je l'ai déjà vu comme ça, c'est grave. Gardons nos distances, c'est plus prudent.

– Ça va durer combien de temps ?

– Bah ! jusqu'à ce que ça s'arrête, précisa Mongoïd.

– Eh bien, moi, je veux que ce soit maintenant.

Molly se détacha du groupe, et courut vers son père.

– Molly ! Non, pas ça ! hurla Mongoïd.

Il la rattrapa par le bras, néanmoins elle parvint à se dégager.

– Molly, il est capable de tuer n'importe qui quand il est de cette humeur.

Molly n'avait pas du tout l'intention de se raviser. Enjambant les corps et les membres sanguinolents et les morceaux de chair qui jonchaient le champ de bataille, la fillette finit par rejoindre son père qui délirait toujours autant.

– YARGHHHH !

hurla Urgum. Je suis complètement cinglé !
– Stop ! lui cria Molly. La bataille est finie.

– YARGHHHH !

– ARRÊTE PAPA ! ARRÊTE !

– YARGHHHH !

– Arrête tout de suite !

– YAR ?

– Arrête.
– Molly ? C'est bien toi ? s'étonna Urgum.
– Oui, c'est moi, confirma Molly. C'est terminé maintenant.

Lentement, Urgum abaissa son bras et lâcha sa hache qui dégoulinait de sang. Elle tomba à terre avec fracas.
– Je ne te vois pas, dit-il. Est-ce que je suis mort ?

– Non pas encore Papa, répondit Molly, d'une voix tremblante. Mais si tu ne nous laisses pas te soigner, tu le seras plus tôt que prévu.

La colère d'Urgum s'évanouit peu à peu face à l'intensité de la douleur que lui procuraient ses nombreuses blessures et fractures. Il porta la main à sa bouche et la mordit aussi fort qu'il put pour s'empêcher de hurler. Il était totalement désemparé : eh oui, il avait mal, comme n'importe quel mortel… Et il n'avait pas envie de donner cette image-là à sa petite fille.

– Papa ? s'inquiéta Molly. Est-ce que ça va ?

Depuis la tour de guet, Grizelda assistait à toute la scène. Elle avait compris la situation. Aussi banda-t-elle son arc.

L'instant d'après, une flèche extrêmement fine vibrait au milieu du plastron d'Urgum. Sa pointe était si petite qu'elle n'avait pas causé de blessure, mais le venin dans lequel elle avait été trempée commençait à agir. Il provenait d'une arachné-chaos, spécimen dont le venin était capable d'assommer un éléphant. Il se propagea dans ses veines et, très vite, son système nerveux central fut atteint. Sous l'effet de la substance, les neurones du Barbare s'agencèrent à la manière d'une toile d'araignée, ce qui provoqua un ralentissement du processus de pensée et le sommeil de toutes les fonctions cérébrales supérieures. Et aussi sec, Urgum tomba de son cheval, tandis que Mongoïd plongeait pour le rattraper.

– Papa ! s'exclama Molly. Papa ?

– Laisse-le se reposer, Molly, lui conseilla Mongoïd, en déposant son ami au sol. Grizelda lui a envoyé une flèche pour l'anesthésier. Il était trop mal en point. C'était la meilleure chose à faire pour qu'il ait une chance de s'en sortir…

La damezarlaide, qui avait assisté à toute la scène bien droite devant l'entrée du monolithe, se pencha vers Divina et lui dit sur le ton de la confidence :

– Je n'ai jamais vu personne se battre comme ça.

– Il a tué beaucoup de vos employés, glissa Divina.

– Oui, mais de toute manière nous étions en tort, alors…, rappela la créature. D'ailleurs, il faut que je pense à vous faire parvenir une demande de compensation.

– Je ne veux pas de compensation, lâcha Divina d'un ton cassant. Je veux mon mari.

– Je vous comprends. Si j'étais à votre place, j'en demanderais autant.

Pendant que ces dames discutaient, Mongoïd s'était agenouillé à côté d'Urgum en compagnie de Molly.

– Est-ce qu'il va s'en sortir ? demanda la fillette.

– P't-être ben qu'oui, p't-être ben que non, souffla Mongoïd, l'œil mari. Cette fois-ci, c'est du sérieux… Il est vraiment dans un sale état.

L'Ostrogoïde s'efforça d'avoir l'air moins sombre. Il se racla la gorge et poursuivit sur une note d'espoir :

– Ne t'en fais pas pour lui, Molly. Il s'est battu avec bravoure et honneur pour défendre sa famille, sans une

once de bon sens, certes. Mais les dieux seront fiers de lui. Et bientôt, il les rejoindra au ciel pour festoyer à leur table jusqu'à la fin des temps.

Molly fondit en larmes :

– Mais je ne veux pas qu'il aille au ciel, moi ! Je veux qu'il reste avec moi.

– Bien sûr, c'est normal, ajouta Mongoïd.

Il essuya les souillures qui maculaient le visage de son ami. La blessure qu'il portait au cou avait cessé de saigner. Ses paupières étaient closes, mais on percevait le souffle de sa respiration irrégulière : elle s'arrêtait parfois d'un seul coup, avant de repartir en tressautant.

– Il va avoir besoin d'un coup de pouce. Un sacré coup de pouce même, continua Mongoïd.

Divina rejoignit Molly, et se tint derrière elle, silencieuse. Elle posa les mains sur les épaules de sa fille, désemparée.

– Qu'est-ce qu'on peut faire, Mongoïd ? demanda-t-elle.

Mongoïd avala sa salive. Son visage trop ovale, et d'ordinaire si repoussant, se teinta d'une douceur qu'on ne lui connaissait pas. Ses traits se détendirent lorsqu'il rajusta le chapeau d'Urgum.

– Peut-être que tu pourrais augmenter le gaz sous l'hippopotame tavelé, répondit-il.

Le sourcil de Divina se tendit comme un arc. Elle était furieuse ! Et pourtant, Mongoïd ne plaisantait pas.

– Ça fait un bail qu'Urgum et moi on se connaît, expliqua-t-il. Et crois-moi, s'il y a une toute petite chance de le sauver, on n'a pas le choix.

D'un revers de manche, il essuya les larmes qui dégoulinaient sur son gros nez. Puis, regardant Molly droit dans les yeux, il poursuivit :

– Il faut organiser une fête monstrueusement grande. Ça le fera peut-être revenir parmi nous.

Le dénouement

Une torche jetait une faible lueur dans la chambre d'Urgum. Il se faisait tard. Le Barbare avait été amené jusqu'à son lit à baldaquin. Sa hache avait été posée sur sa poitrine, ses bras croisés par-dessus. Les yeux clos, le héros respirait difficilement et son souffle était entrecoupé de soubresauts. Assise sur un tabouret, sa fille promenait un regard inquiet sur son corps inerte. Des épaules qui avaient l'air aussi puissantes que celles d'un bœuf, une peau aussi épaisse que du cuir, un visage anguleux d'où saillait une mâchoire carrée, des muscles rebondis que l'on devinait sous ses vêtements… Même inconscient, le sauvage inspirait l'effroi. Molly n'osait pas se l'avouer, mais elle le veillait depuis si longtemps que ce spectacle devenait ennuyeux à mourir.

L'écho lointain des tambours montait du bassin de Golglouta et résonnait jusque dans la caverne, accompagné par quelques éclats de rire et de drôles de cris. De temps à autre, il semblait qu'Urgum réagissait au bruit et au parfum d'hippopotame tavelé grillé à point, qui

chatouillait ses narines. D'imperceptibles mouvements parcouraient alors son corps, sans parvenir, néanmoins, à le tirer de sa torpeur.

C'est alors qu'une chose étrange se produisit. Deux toutes petites flammes se détachèrent du feu de la torche et s'envolèrent jusqu'à Urgum, comme pour l'examiner. Molly les sentit vaguement passer et les prit pour des papillons de nuit. Puis, progressivement, le visage de Tangor apparut, scintillant, au cœur de l'une des flammes :

– Qu'est-ce qui lui arrive ? se demanda-t-il. Je croyais que c'était un casse-cou, une grosse brute sauvage. Il aurait déjà dû se traîner au-dehors pour faire la fête depuis un moment ! Il ne va quand même pas rester là, étendu de tout son long, à attendre la mort. Il devrait déjà être dehors et faire l'andouille à l'heure qu'il est.

– Ça va aller, fit Tangal d'un ton confiant alors que son visage prenait forme dans l'autre flamme. On a arrêté l'hémorragie. La seule chose qu'il a à faire, c'est de se mettre debout.

– Et s'il ne veut pas ? demanda Tangor en planant au-dessus des paupières closes d'Urgum. Peut-être qu'il est trop gravement blessé pour continuer et qu'il a décidé de mourir, de nous rejoindre et de manger jusqu'à la fin des temps… Et bien sûr, tout est de ta faute.

– Ma faute ? reprit Tangal.

– Bah, oui, c'est toi qui as envoyé Molly !

– Molly ? Mais c'était l'idée du siècle ! affirma Tangal. C'était une blague inoffensive pour qu'Urgum mûrisse et arrête de risquer sa vie n'importe comment.

– Eh bien, on dirait que la plaisanterie a mal tourné, tu ne crois pas ? fit son frère avec ironie. Grâce à Molly, on a eu droit à deux belles batailles, et tout ça pour un demi-tanna et une histoire de fleurs écrasées. Résultat, Urgum a un pied dans la tombe. Personnellement, je ne vois pas comment on peut faire plus stupide.

– Arrête de t'en prendre à Molly, rétorqua Tangal. Car s'il y a bien quelqu'un qui peut le remettre sur pied, c'est elle. Divina et Mongoïd le savent très bien. C'est d'ailleurs pour cette raison qu'ils la laissent veiller sur lui.

– À quoi ça sert, tu peux me le dire ? soupira Tangor. Nous avons toujours su qu'un jour ou l'autre on finirait par perdre notre dernier vrai Barbare. Et comme après lui, il n'y aura plus personne pour prendre la relève et croire en nous, autant accepter que notre heure a sonné elle aussi.

Le visage de sa sœur se mit à briller intensément : elle venait d'avoir une idée lumineuse. La petite flamme fonça derrière Molly et voleta autour d'elle avec entrain :

– Pas si sûr ! s'exclama-t-elle. Urgum pourrait nous donner un successeur. Ce serait notre nouveau Barbare. Il pourrait lui enseigner tout ce qu'il sait, lui raconter ses exploits. Oh, il adorerait ça ! Se faire mousser, c'est quand même un de ses passe-temps préférés.

– Bien vu, concéda Tangor. Mais qui est l'heureux élu ? Pas un de ses fils n'est à la hauteur : Ils n'ont aucune classe, et ne respectent rien.

– Je ne pensais pas à ses fils…

Et Tangal se mit à tourner autour de la tête de Molly de plus en plus vite. On aurait dit que la petite fille portait une couronne de feu (Ah, ça valait le coup d'œil ! Malheureusement, l'intéressée ne voyait rien.)

– … Mais à sa fille !

– Molly ? s'étouffa son frère. Bien sûr, elle en impose, elle a le sens des valeurs, pas de doute ! Et en plus, elle ne craint rien ni personne.

– Il pourrait faire d'elle une grande Barbare, lança Tangal d'un air songeur. Si seulement il voulait bien se réveiller…

Soudain, Tangor fit une pirouette et se dirigea vers l'oreille d'Urgum :

– Allez, mon vieux ! chuchota-t-il. En scène ! On t'a trouvé du boulot.

Un sourire glissa sur les lèvres d'Urgum, mais il ne se réveilla pas.

– Toujours rien ? s'inquiéta Tangal.

Et la couronne de feu qui ceignait la tête de la fillette perdit son éclat. Ce n'était plus qu'un faible halo doré.

– Si seulement il y avait un moyen de faire repartir son cerveau. Un petit choc, quelque chose. Je ne sais pas, moi…

– Attends, c'est bien à cause de cette histoire de tannas qu'il est dans cet état ?

– Ah, tu ne vas pas recommencer à m'enquiquiner avec cette affaire ! se défendit Tangal.

– Non, non, écoute-moi, insista Tangor. Il n'a pas vu le cadeau qu'elle lui a acheté avec son argent, si je ne m'abuse ?

Les deux petites flammes se mirent à rougeoyer d'un seul coup, et des étincelles pleines d'espoir jaillirent dans tous les sens.

– Mais oui ! s'enflamma Tangal. À part la vantardise, la gourmandise, quelle est l'autre grande qualité de notre Barbare ?

– Le sens de la propriété ! crièrent-ils en même temps.

Urgum respirait de plus en plus mal. Ses bras s'étaient relâchés et sa hache commença à glisser lentement. Tangal vola à toute vitesse jusqu'à l'oreille de Molly pour y susurrer quelques mots. La fillette ne les entendit pas vraiment, et pourtant une drôle d'idée lui traversa soudain l'esprit.

Elle se leva presque machinalement, et rattrapa la

hache par le manche avant que celle-ci ne percute le sol.
Mais au lieu de la replacer sur la poitrine de son père, elle
essaya de tirer dessus pour dégager l'arme. Elle était très
lourde, et malgré tout, Urgum la tenait toujours serrée.
Elle tira encore un peu sur le manche et…

CLONK !

La cognée se fracassa contre le sol. Tangor, qui venait
juste de prendre place derrière le lobe d'oreille d'Urgum,
le brûla juste assez pour qu'il se mette à cligner des
paupières. Il ouvrit un œil injecté de sang, plein d'une
grande fatigue. Et que vit-il ? Sa propre fille qui traînait
sa hache à l'autre bout de la salle.

– Mmmmékéceucé ? marmonna Urgum.

Il parla si bas que Molly ne l'entendit pas. Urgum
ouvrit très lentement l'autre œil et tourna la tête en
direction de la fillette. Celle-ci tentait tant bien que mal
de soulever la hache en s'aidant du mur. Mais qu'est-ce
qu'elle fabriquait, ça n'avait pas de sens… Urgum était
sur le point de retomber dans sa léthargie quand Tangor
le brûla un peu plus fort.

– AÏÏÏÏE ! glapit le sauvage en secouant la tête.

Molly en fut si surprise qu'elle lâcha l'arme, qui, une fois de plus, provoqua un gros

CLONK !

– Qu'est-ce que c'est que ce ramdam ? grogna Urgum. Ça suffit. Il y a des gens qui essaient de mourir tranquilles ici.

– Papa ! s'écria Molly. Tu es vivant !

– Non, répondit Urgum en se laissant retomber sur l'oreiller. Je suis mort, maintenant, rends-moi ma hache et laisse-moi seul.

– Jamais de la vie ! répliqua Molly. Je t'interdis de mourir. Tu dois venir faire la fête.

– Une fête ? Quelle fête ?

– Une fête gigantesque, répondit Molly. C'est Mongoïd qui l'a organisée. On peut jouer à plein de trucs : lancer de hache, saut-brûle-fesses, Qui-veut-la-peau-de-l'ours-avant-de-l'avoir-tué… Et Maman a même fait cuire un hippopotame tavelé, tu sens ?

Urgum inspira profondément. Et là, il se mit à remuer de tout son être, à trembler des pieds à la tête, comme s'il était déjà sur la piste de danse.

– Allez Papa, insista Molly en attrapant sa main et en tirant dessus de toutes ses forces. Ça va être génial.

– Bien sûr que ça va être génial ! confirma Urgum en dégageant sa main. Mongoïd organise toujours des fêtes géniales. Mais pourquoi maintenant ? Au cas où personne ne l'aurait remarqué, je suis en train de mourir dans d'atroces souffrances, là. Ça intéresse quelqu'un ? À quoi ça rime de faire la fête ? Tout le monde devrait être triste, au contraire, et rassemblé autour de moi pour regretter le super bonhomme que j'étais.

– Super ? ricana Molly. Toi ? Alors que tu es vautré sur ton lit, à te plaindre pour une petite douleur de rien du tout au lieu d'aller t'amuser ? Et tu oses te vanter d'être un Barbare ? Franchement, si j'avais su, je ne t'aurais jamais fait ce cadeau.

– Un cadeau, pour moi ? Qu'est-ce que c'est ?

– Je ne te le montrerai que si tu te lèves !

Molly tira à nouveau son père par la main et lentement, il se redressa pour s'asseoir sur son lit. Il avait le tournis. Et lorsqu'il réussit à rester droit, la fillette traversa la pièce en gambadant. Elle s'arrêta devant la paroi et pointa son doigt en l'air. Urgum écarquilla les yeux et vit un énorme double crochet en cuivre.

– Qu'est-ce que c'est ? demanda-t-il.

– C'est un crochet spécial pour suspendre les haches à double cognée, expliqua-t-elle tout en se baissant pour attraper l'arme de son père.

Elle eut beau rassembler toutes ses forces pour la soulever, elle ne parvint pas à l'accrocher. Et...

CLONK !

Elle retomba par terre.

– C'est la bonne dimension, je t'assure, dit Molly. C'est juste que je n'arrive pas à l'accrocher là-haut.

– Oh ! lâcha Urgum qui se recoucha aussitôt.

– Au moins, comme ça, tu arrêteras de te fendre les orteils en deux, lâcha sèchement Molly. Je l'ai acheté pour toi, avec mon argent. Et cela m'a coûté cinq tannas. Alors tu pourrais au moins dire que ça te plaît.

Urgum soupira :

– Je préfère mon autre cadeau.

Il glissa sa main sous le col de sa tunique et sortit son petit collier de fleurs.

– Le collier de fleurs ? s'étrangla Molly. Tu le portes toujours ?

– Tu te souviens de ce que tu as dit quand tu me l'as offert ? demanda Urgum.

Il était épuisé et pourtant, il fit de son mieux pour sourire. Il était fier de sa petite.

– Tu as dit : « Mon père n'a pas peur de porter un collier de fleurs. Parce que mon père, il n'a peur de rien. »

– Pfff ! si j'avais su que tu allais tourner de l'œil et mourir à moitié sur moi, je ne te l'aurais pas donné.

– Telle est ma destinée, expliqua Urgum d'un ton grandiloquent. J'ai eu une vie bien remplie, pleine de gloire et le temps est venu pour moi de rejoindre les dieux qui m'ont tant choyé.

– Je me demande pourquoi tu es si impatient de les rencontrer, s'interrogea Molly. Tu ne sais même pas à quoi ils ressemblent.

– Mais si, je le sais, rétorqua Urgum. Ce sont des êtres... forts, merveilleux, nobles. Un peu comme moi, quoi !

Les dieux jumeaux échangèrent des regards embarrassés. Par chance, Urgum ne les avait pas découverts. Ils étaient cachés dans un coin de la pièce, et leurs visages avaient carrément viré au vert à cause du courant d'air qui s'échappait des toilettes jouxtant la chambre.

– D'ailleurs, je finirai probablement par devenir un dieu, moi aussi, poursuivit-il. Regarde bien, Molly, parce que te voilà face au dernier vrai Barbare.

– Non, je ne crois pas, trancha-t-elle, d'un air effronté. C'est plutôt à toi de bien regarder.

– Pardon ? s'étonna-t-il. À part toi, je ne vois rien.

– Justement, c'est MOI qui serai la dernière vraie Barbare ! J'ai bien observé mes frères, tout à l'heure, pendant qu'ils s'entraînaient pour les jeux de la fête. Ils peuvent m'enseigner tout ce dont j'ai besoin.

– Ce tas de bons à rien, là. Ha ! grommela Urgum. Tu parles d'une chance... Pas une goutte de sang barbare ne coule dans leurs veines, à ceux-là. Va savoir si quelque chose y coule d'ailleurs.

– Ce n'est pas mon avis. Ruinn est très fort au lancer de hache. Il m'a dit qu'il allait m'apprendre.

– Ruinn ? Cet empoté n'est pas capable de lancer un bout de bois correctement. Ne l'écoute pas, il raconte des bêtises.

– Les jumeaux m'ont promis qu'ils m'aideraient à sauter au-dessus des flammes pour jouer à Saut-brûle-fesses.

– Tsss ! ben voyons. Au-dessus d'une flamme, peut-être. Et encore, celle d'une bougie ! ironisa Urgum.

– Et Robbin m'a juré qu'il m'apprendrait à jouer à Qui-veut-la-peau-de-l'ours-avant-de-l'avoir-tué, ajouta Molly.

– Robbin ? Bon, je ne dis pas, il a du potentiel, admit Urgum. Mais, la technique, c'est pas ça. Il peut à peine s'attaquer à deux ours en même temps. Quant à toi, je ne voudrais pas dire… Mais, explique-moi un peu comment tu comptes t'y prendre pour chasser un ours ?

Il dépassait les bornes. Molly bouillonnait.

– Si MÔSIEUR en a terminé avec ses gentillesses…, dit-elle furieusement, j'aurai deux mots à lui dire : peut-être que je ne suis pas aussi grande ET forte que toi. Je ne sens pas aussi mauvais que toi, c'est vrai. Et pourtant, dans mon genre, je ferai une bien meilleure Barbare que toi. Et tu sais pourquoi ? Parce qu'au moins, le jour où je casserai ma pipe, ce ne sera pas en M'APITOYANT SUR MON SORT, comme tu le fais, alors que tout le monde t'attend pour festoyer.

– HEIN ?

– Parfaitement, hurla-t-elle. Vas-y, meurs après tout ! Qu'est-ce qu'on s'en fiche, hein, si personne ne m'aide à grandir…

Molly se dirigea vers la porte de la chambre en tapant des pieds. Cette fois-ci, elle boudait pour de bon. La colère se lisait dans son regard et sa lèvre inférieure remontait en avant dans une moue boudeuse, mais cela n'impressionnait guère son père, qui éclata de rire.

– QUOI ? s'insurgea-t-elle.

– Allez, viens ici, fit Urgum après avoir retrouvé son souffle.

Il lui fit signe de venir près de lui. Molly s'avança, sa démarche trahissait une certaine réticence. D'un geste brusque, elle finit par s'asseoir sur le lit, qui étouffa un gémissement. Cependant, elle gardait ses distances.

– Viens donc, insista Urgum.

Molly s'exécuta, se déplaçant d'à peine quelques millimètres. Puis, elle se rapprocha franchement, avant de se jeter à son cou. Par pudeur, elle évita le regard de son père. Elle avait les yeux rivés sur ses genoux.

– Euh… hum ! bredouilla Urgum, embarrassé. Voilà, je voulais te dire que l'idée d'avoir une fille m'était, euh… comment dire ? *Plutôt étrangère*. Et puis, tu es arrivée. Et, tu vois, je suis content que tu sois là. Très content.

– Même si tu crois qu'une petite fille toute maigre comme moi ne peut pas devenir une vraie Barbare ?

– Je viens de te le dire, je suis très heureux que tu sois ma petite fille.

Molly releva la tête vers Urgum. Elle le regarda avec des yeux ronds comme des billes. Ses lèvres tremblaient. Puis elle secoua la tête, se redressa et répliqua :

– Bon, eh bien, puisque nous en sommes là, moi aussi, je voudrais te dire quelque chose : quitte à avoir un père, j'aime autant que ce soit toi. Même si tu es gros et égoïste, confessa Molly, en lui donnant un petit coup de coude dans les côtes.

Urgum se releva soudain et la prit de court en l'embrassant furtivement sur le front. Le cœur de la petite fille se mit à battre la chamade.

– Qu'est-ce que tu regardes ? lui demanda Urgum en faisant comme si de rien n'était.

– Rien, répondit Molly en dévisageant son père.

– Bon, c'est bien tout ça : tu as un père, j'ai une fille. On forme une belle équipe, en fin de compte, conclut Urgum.

– Oui, c'est vrai ça, Papa.

D'un geste lent et précautionneux, Urgum sortit une jambe du lit pour la poser par terre et tenter de se mettre debout. Il appuya une main sur la paroi pour ne pas perdre l'équilibre, se leva et fit quelques pas en titubant. Et là… BING ! son pied percuta la cognée de la hache. Cette fois-ci – coup de chance –, il ne se fendit pas l'orteil. Il tomba en avant et Molly eut juste le temps de bondir pour le rattraper. Urgum enroula un bras noueux autour des épaules fluettes de sa fille et ensemble, ils se baissèrent pour ramasser la lourde hache qu'ils tentèrent d'accrocher au mur. Tout en continuant à s'appuyer sur sa fille, Urgum se recula pour admirer son arme.

– Ha, finis les orteils fendus ! soupira-t-il d'un air satisfait. C'est un très beau cadeau, Molly.

Puis, il s'empara de la torche. Et ni lui, ni Molly ne remarquèrent les deux petites lueurs qui rejoignirent la flamme.

– Qu'est-ce que tu fais Papa ?

– On a du pain sur la planche ! s'exclama Urgum en se dirigeant tant bien que mal vers la porte.

– Mais, je croyais que tu voulais rencontrer tes dieux, ceux qui « t'ont tant choyé », ajouta-t-elle alors qu'ils s'engageaient dans le couloir.

– Ils devront m'attendre, souffla Urgum en serrant les dents.

Ses blessures le faisaient cruellement souffrir. Son corps entier était à vif. Malgré tout, ses yeux brillaient et son visage affichait un air de défi.

– Allez, en avant ! Toi et moi, on doit montrer à tous ces gens tristes, là-bas, comment les vrais Barbares font la fête, s'enthousiasma Urgum.

– Tu veux dire qu'on va faire du lancer de hache et qu'on va jouer à saut-brûle-fesses ? lui demanda Molly pleine d'entrain.

– Ouais ! lança Urgum, qui, en son for intérieur, priait les dieux de le soutenir physiquement. Chaque pas qui l'emmenait vers la sortie de la caverne le mettait au supplice.

– Et aussi à Qui-veut-la-peau-de-l'ours-avant-de-l'avoir-tué ?

– Affirmatif, répondit Urgum.

– C'est vrai ? s'étrangla Molly, ravie. Alors, moi aussi, je vais jouer ?

– Dis donc, qu'est-ce qu'il te prend ? lui demanda Urgum.

ON a LeS CHOCOTTeS ?

NON !

ON EST DES CHOCHOTTES ?
NON !
PARCE QU'ON EST...
COMPLÈTEMENT CINGLÉS !

crièrent-ils en s'engouffrant dans la nuit noire. Le flambeau baignait de lumière le père et sa fille. C'est alors qu'un sifflement assourdissant déchira l'obscurité.

Deux petites flammes montèrent vers le firmament, laissant derrière elles une pluie d'étoiles scintillantes qui jeta un éclat orangé sur tout le bassin de Golglouta. Les dieux s'en retournaient vers la Demeure céleste de Sirrhus. Eux aussi avaient quelque chose à fêter : Urgum était vivant, et une autre Barbare, une vraie, allait prendre la relève. En fin de compte, toute cette plaisanterie avait sacrément bien tourné !